# 第5版発行にあたって

　(一社)日本書籍出版協会では、例年春に出版社の〔　　〕対し「新入社員研修会」を開催しており〔　　〕〔　　〕なテキストとして、

　　　新入社員のためのテ〔　　〕

　　　新入社員のためのテキ〔　　〕

　　　新入社員のためのテキ〔　　〕　3『出版社の日常用語集』

の3冊を発行しております。

　このテキスト1『本づくり』は、鈴木敏夫氏（大修館書店元社長・故人）の1980年（昭和55年度）の講義録をもとに作成したものです。1989年に部分的改訂を行い、2000年に三訂版を発行いたしました。三訂版発行の後9年がたち技術的な変遷に伴い、第4版を発行いたしました。

　改訂版から第4版までの発行に当たりましては編集関連の本を数多く執筆されている、野村保惠氏（あるふぁ企画）に全面的な加筆・補訂をお願いいたしました。同氏のご協力に深く感謝いたします。第5版では、現状にあわせて一部表現を修正いたしました。

　もとより、『本づくり』『出版営業入門』の両分野ともきわめて奥が深く、短時間で語りつくせるものではありません。したがってこの小冊子は、あくまで「手がかり」として役立てられればと思います。また、日常の業務の中で、担当外のことについては疎遠になりがちです。日常用語集を傍らに置き、2冊を通読することにより、出版者としての基礎知識をもっていただければ幸いです。

2020年（令和2年）3月

一般社団法人　日本書籍出版協会

研修事業委員会

# 目　　次

## Ⅲ　本の編集・製作

## Ⅳ　販売、宣伝計画

## 付　録

# I　書物(本)とは何か

## 1.　はじめに

　出版社に新しく入社された方々に、一般にいう書籍について、それも商品として製作する立場の者としてこれだけは知っておかなければならない、また、これだけは留意してほしいという視点でその概略を述べてみる。

　みなさんは、それぞれに知識の研鑽を十分に積み、またなかには、学生時代に新聞とかパンフレット、あるいは同窓会誌などを作った経験をもっている人も多いと思う。しかしこれから出版社に入って、編集者として仕事に従事するにしたがい、外から見たのとは大きな違いがあることをすぐ気付くに違いない。それは、少なくともこれからみなさんが作ろうとする書籍、あるいは雑誌は一つの「商品」だということである。読者に買っていただく商品である。つまり「商品を作るのだ」ということが、ベテランの出版人もいまだに苦労している、編集者としての最大の、永遠のテーマなのである。

　こういう本を作りたい、こういう本であれば世の中の役に立つ、こういう本こそあって不思議ではない——若い人でも、経験を積んだ編集者でも、出版人は常にそのような観点で商品としての出版物を考えている。商品として誇り得るもの、それこそが出版社で働く人々の生涯のテーマであり、出版人としての苦労もこれに尽きるわけである。これから出版社で働く人々に、〈出版社は商品を作るのだ〉ということを冒頭に述べ、これを前提にこれからの話を進めていきたい。

## 2. 本とは

書物とは何か——本、書籍、図書など日本語ではいろいろないい方があるが、英語では Book だけである。定義的な意味で眺めてみると、例えば OED（Oxford English Dictionary、英語大辞書の1つ）には「どのような場所でも閲覧ができる、ある種の装幀によって保護され背の一端を固められた多数の紙葉」とあり、本というものを物理的に説明している。なお「どのような場所でも閲覧ができる、ある種の装幀によって保護され」とあるのは、機能面での本の概念をいっているわけである。

また、ユネスコ統計上は、Book とは「裏表の表紙を除き、49 ページ以上の非定期出版物をいい、それ未満はパンフレットとして扱う」と、かなり明瞭に定義し、ブック、マガジン、パンフレットの相違を明らかにしている。

## 3. 本のいままで

周知のように、本は紙が主な材料になっている。したがって、紙の発明が本の歴史の原点といっていいだろう。

紙は西暦 105 年、中国の後漢の初期に「蔡倫」（さいりん、原音ツァイルン）という人物によって発明された。この発明によって、今日、これだけ多くの書籍ができるようになったのだから、紙業界、出版界にとって忘れてはならない名前である。蔡倫の手法は、原理的に今日の紙の製法とほとんど同じで、樹皮やボロ布をどろどろに溶かして目の細かいものですくい、水を切って底に残るものを干して紙にする。このような手法が抄紙（しょうし）機による近代的な製紙法が確立する 1,700 年も前に、すでに考えられていたわけだ。

この手法が日本に伝えられたのは、相当後になってからで、約 500 年後の西暦 610 年頃（推古天皇の時代）といわれている。今の朝鮮（当時

の高麗）から、いわゆる手漉（てす）きによる製法が伝わってきた。

蔡倫の手法はシルクロードを経て西に伝わり、1,000年くらいの間にヨーロッパに広がっていった。それが産業革命以降、19世紀の初頭に抄紙機ができ、大量の紙が本格的に製造されるようになった。

いっぽう、15世紀にはドイツのグーテンベルクによって、鉛活字による活版印刷術が発明され、19世紀にいたって製紙工業の発達と結びついて、本格的な出版活動が開始されたと考えてよいであろう。

日本の出版の歴史はどうだろう。印刷物としてはつい先年まで世界最古といわれていた『百万塔陀羅尼経』がわが国に残っている。

（現在世界最古の印刷物は、1966年韓国の慶州仏国寺の石塔中で発見された『無垢浄光大陀羅尼経』とされている。これは西暦704−751年に中国で印刷されたものと推定されている。）

わが国の『百万塔陀羅尼経』は西暦764年頃、称徳天皇が国家安泰を願って4種の陀羅尼経を印刷し、百万基の小さな塔に納めたものである。版木（木版）によって刷られたものか、刷り上りが鮮明なので金属製の版（銅版）で刷られたのではないかとの説もあり、印刷方法は明らかではない。しかしながら、その技術の継承という点では、仏教に関連する教典、仏典の類に一部受けつがれただけで、武士や庶民などに関係する本が残っているのは、はるか後の時代になってしまう。

1593年、秀吉の朝鮮の役の際、銅活字が日本に入ってきている。この技術の流れで今日確認されるものは、駿河版といわれる印刷物と銅活字が残っている。いっぽう、グーテンベルクの活版印刷術が日本に全く伝わらなかったかというと、実はそうでもない。キリスト教の伝来と関係して、1590年に宣教師が印刷機械と活字を持ってきて、その印刷方法を伝えた事実もある。いわゆるキリシタン版であるが、キリスト教禁制の圧力によって、わが国に定着できなかった。

その後、徳川時代をむかえ、初めて木版による本が日本独自に開発さ

れた。木の板に字を彫って墨を塗り、その上に紙をのせて1枚1枚印刷した。裏からこすって印刷をするため、両面印刷が不可能で、裏同士を合わせて二つ折にし、和綴にして複数の本が販売されるようになった。木版本の全盛時代をむかえるわけである。同時に、「版元」と呼ばれる商売としての本屋も誕生した。例えば、上総屋利兵衛、須原屋茂兵衛といった屋号で呼ばれ、今日、埼玉にある大書店の「須原屋」の名も、当時の屋号がそのまま残っているわけである。この時代の本は今日でもたくさん残っている。

　近代出版の形では、明治時代に入って近代国家の建設とともに、出版も本格的になった。まず印刷の面では、徳川時代末期から明治にかけて大鳥圭介、木村嘉平、島霞谷らの先駆者が鋳造活字を試みている。さらに、明治2年、長崎の本木昌造が、中国上海、美華書館のアメリカ人、ウィリアム・ガンブルの指導により、ヨーロッパより将来しすでに中国で行われていた「号数活字」と呼ばれる体系の鉛合金活字を輸入し、その製法を学び、以来わが国の近代活版印刷術が始まった。いっぽう、紙の方は、明治7年に浅野長勲によって有恒社が操業を開始した。ほぼ時期を同じくして学制の施行（明治5年）があり、教育の普及とともに、本の需要が急速に高まっていく。明治時代を代表する出版社である博文館が、明治20年大橋佐平によって創業され、この頃から近代出版社がどんどんでき、教育や知的要望に応える出版や、文芸的出版物が数多く刊行されるようになっていく。


### 4. 本の位置づけ

　過去において、活字を主体とした出版物は知識の伝達物としての役割をほとんど独占してきたといっても過言ではない。ただ、活字組版・写真植字よりも、コンピュータを使用した文字組版（DTP）で組版をすることが多くなって、活字というより文字といった方がよいであろう。

ところが最近、必ずしも文字のみが知識の伝達物ではなくなってきている。テレビにしても、それ以前のラジオにしても非常な勢いで普及し、その影響は少なくない。さらに、通信システムの発展普及により、ニューメディアと呼ばれる情報伝達手段も実用化され、電子メールに始まり、SNS（Social Networking Service）などインターネットを利用した情報伝達も大きな分野を占めつつある。また、電子書籍やデータベースサービス、オーディオブックなど、紙以外のコンテンツ配信も普及してきた。

したがって、文化産業、知識産業のなかで、出版のみが大きな役割を果たしてきたと、過去において出版人は誇りを持っていたが、今日では必ずしも、そうばかりはいえないということを真剣に考えなくてはならない。というのは、今の若い人たちは知識を得る際、文字のみにとらわれるのでなく、耳あるいは目で他の媒体を通じて知識を吸収しようという傾向がかなり出てきているからである。

本が、あるいは文字がそういう時代の中で、今後どういう役割を果たしていくことができるのか、10年後、20年後にはどのような変化があるのかを、若いみなさん方にしっかりと見きわめていただき、それに対応した本づくりを考えていく必要があると思う。情報産業の中で、今後の文字文化がどうあるべきかをぜひ考えてほしい。

## 5. 商品としての本とは

本を商品としてとらえた場合、その特性のひとつとして「多品種少量生産」ということがある。7万点もの新刊が1年間に発行され、1日に換算すると約200点もの新商品が市場に追加されていることになる。そのような産業が他にあるだろうか。薬品など、ずいぶん種類があると思うが、本ほどではないであろう。まさに出版は多品種少量生産の代表といえよう。

第2の特性としては、本は受注生産ではなく、予測の上にたった見込

み生産で販売されているということである。このような形態は他産業に
もあって、本だけの問題ではないかも知れないが、考えようによっては、
とても乱暴なことをやっているともいえる。売れる保証もないものを一
方的につくり、宣伝して売っている。たいへん投機的な感じもするし、
それだけに正確な計算の上に立ってつくられる商品ではないともいえる。
出版は不安定な産業といわれているのも、こうした要素からきていると
思われる。

　第3の特性は、業界全体の売上げが、日本を代表する企業1社の売上
げよりも少ないということである。業界の年間売上げ高は1兆2,921億
円（2018年現在「出版科学研究所」調べ）ほどで、大企業1社に、われ
われが束になっても売上げではとうてい及ばない。いいかえれば、この
業界は典型的な中小企業の集まりということができる。

　もう1つの特性は、業界を支配しているのがメーカーではないという
ことである。経済用語で工業資本か商業資本かというと、出版界は商業
資本型だということができる。

　問屋にあたる販売会社が非常に大規模な企業で、それが流通の要とな
り、その資本によって出版業界が動いているといえる。電機業界にみら
れるように、メーカーが大きくて末端まで支配しているという形ではな
いし、大規模小売業者が市場を支配しているわけでもない。

　この問屋を取次会社という。出版社が商品を取次会社に持込むと、取
次会社から各地の小売書店に配本される。返品もまた同じルートで逆流
する。外国には見られない、日本独特の流通形態である。

# Ⅱ　本づくりの基礎知識

　知識として「本づくり」を知るには、経験を積み重ねることで覚えて
ゆくこともできる。また、そのための出版物も多く出されているので、
ぜひ参考にしてほしい。ここでは、これだけは覚えておいた方が良い、
これでは失敗しますよ、ということだけにふれておきたいと思う。

## 1. 本の部分名と内容順序

　本の各部にはそれぞれ図のように名前がついている。中には業界独特
の呼称もあるが、仕事を進めていく上で、特に印刷所・製本所との打合
せなどでは必要な用語なので、早く覚えこんでおきたいものである。

### 本の各部の名称（1）

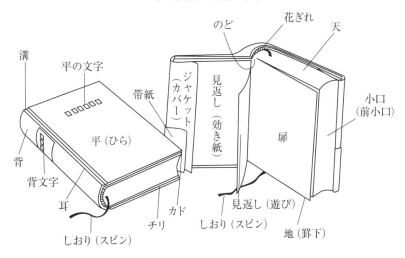

## 本の各部の名称（2）

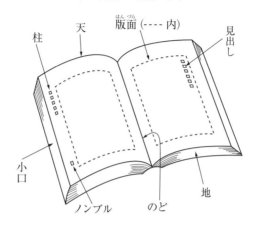

本の内容の構成はまず、中心となる「本文（ほんもん、ほんぶん）」があり、その前に前付（まえづけ）が、後ろに後付（あとづけ）がつく。その順序の基本的な例を説明する。

「見返（みかえ）し」の次に「扉（とびら、本扉（ほんとびら））」がある。わが国では、本文紙より厚手で上質な紙（別紙、べつがみ）を使う慣習がある。外国では本文と同じ紙（共紙、ともがみ）で前扉（まえとびら）、扉の順とする。前扉は書名を小さく入れる。扉にはわが国と同様、書名・著者名・出版社名を入れる。扉の裏には必要があれば、copyright 関係の文章を入れる。とくに翻訳書では権利関係を明確にするために、契約書によって入れることが義務付けられている。

「口絵（くちえ）」は扉の前か、後ろに入れる。

次は、献辞・推薦の言葉・序文・凡例・目次の順である。「献辞（けんじ）」は改丁（かいちょう）として表に入れ、裏白（うらじろ）とするが普通は入らないことが多い。「推薦の言葉」は著者よりも目上の方が書くので、序文の前におく。「序文」は、序・はしがき・まえがきなどともいわれる。「凡例（はんれい）」は、その本の執筆方針、略語・例則な

どを整理して並べたものであり、辞典類には絶対必要である。「目次」は本文中の見出しと対応するページを併記して本文の組立を示すものであり、図版目次・表目次・写真目次などと分けることもある。

この後に本文が続くが、初めに裏白で「中扉（なかとびら）」を入れることが多い。ページ数に数え、ここより1ページ起こしとする。普通は、最初だけ書名を入れるが、大部の本では部ごとまたは章ごとに入れることもある。

前付は独立して別の書体でノンブル（ページ数）を付ける。前付は後から入稿することが多く、本文のノンブルを早く確定したいため、別にノンブルを起こした方が進行に支障が少ない。通して数える場合は書体を同じにしなければならない。文庫とか新書などの簡略版では、本扉を共紙として頭からページを数えることが多い。

本文中に「半扉（はんとびら）」といって、簡略な中扉を入れることもある。これは表に章名など題名を入れ、裏から本文を見開きで始める形式である。

本文の後ろには、後付として付録・索引・あとがき・奥付などが入る。「付録」は巻末に入れる年譜・年表・地図・参考文献・引用文献などである。参考文献・引用文献は、前付に入れることもある。「あとがき」は序文よりも軽い著者の感想などが中心となるが、ない本もある。上下巻などで、本文のノンブルを続ける場合は、後付のノンブルは別に打つ。「索引（さくいん）」は縦組の本でも横組とすることが多いので、この場合は巻末奥付の前に入れ、逆に後ろからノンブルを打つ。

「奥付（おくづけ）」は刊記として、書名、著（訳）者名、定価、出版年月日（版、刷）、出版社名・住所・電話番号・FAX番号、印刷所名、製本所名、日本図書コード（ISBN）、©表示などを入れる。著（訳）者の簡単な略歴・著書名などを入れることもある。書名・著者名には振り仮名を振った方が親切である。最近は、本体には入れないでジャケット

の袖などに刊記を入れる例もあるが、あまり好ましくない。

　なお、台割の関係でページ数に半端が出る場合には、奥付裏からさらに続けて出版広告などを入れて調整することがある。

　ページは、本文版面の大きさを基準として、柱・ノンブルの位置、大きさ、書体が決められる。柱・ノンブルは、一冊の本全体を通して同じ位置に置くのが原則である。柱には、奇数・偶数ページに入れる両柱方式と奇数のみの片柱方式があり、両柱方式では、偶数ページに大きな見出し、奇数ページに小さい見出しをとる。ノンブルの起こしは、表ページが奇数、裏ページが偶数である。見開きで考えると、縦組の本では右ページが偶数、左ページが奇数で、横組の本では左ページが偶数、右ページが奇数となる。本の流れに沿って、常に偶数→奇数となる。


## 2. 本をどう扱うか

　編集に携わる人たちは、倉庫で本を出し入れしたり、保管したりする機会はあまりないだろうから、ここで本の扱い方についてふれておく。

　本は普通、本棚にタテに並んでいるが、本を置く状態としては、平（ひら）に安定した形で置くのが一番良い。平に置くことで、紙も落着き、本全体としても落着きをもってくる。もちろん本は、開いたり閉じたりする機能を持っているわけで、それに耐え得るつくり方をされていなければならない。しかし、大事にするという観点からすれば、読者の手にわたるまでは特に、平におかれることが本にとっていちばんありがたいのである。出版社に新しい本が納品されると、本の厚さによって10冊から20冊ぐらいずつ包装されたものが、倉庫に平に積まれる。

　本ができあがってきた時、とりわけ新しく商品として誕生したばかりの1冊が見本として届けられた時はほんとうにうれしいもので、なでるようにして見たりする。しかし、その見方にもルールがあるのを忘れてはならない。今日では背などの接着剤が非常に良くなってきているが、

それをいちばん最初に見る編集者が乱暴に開いたりすると、背が割れるおそれがある。せっかくきれいにつけた丸味も、乱暴に扱ったために一部分が飛び出したりすることもある。その場合、耐えられないつくり方をした製本所が悪いといったらかわいそうだ。

つくりたての若い本は、まだ十分に安定していないので、片側から4〜5枚ずつ繰っては開き、のどの部分を押さえ背を少しずつ広げるようにする、これを繰返していく。ある程度開いたら閉じ、反対側から同じことをして全部おえると本ははじめて慣れてくる。生き物を扱うようにすると、スムーズに開くようになるのである。これから読者にわたる本だということを肝に銘じて、見本といえども素人のように扱ってダメにしないよう、出版人としての扱い方を心得てほしい。

次に本の積み方である。本は新しくできあがると、本製本の本は互い違いになって10〜20冊くらいが、ハトロン紙で帯をかけたり、包まれたりして、1箇の単位として届けられる。背の耳の部分が、ややでっぱっているため、少しずらせて包まないと、せっかくの耳がつぶれてしまう。仮製本は5〜10冊ぐらいずつまとめて互い違いにして包装する。

その積み方にもルールがあって、ただ積むだけではひっくり返ってしまう。何冊あるかが見ればすぐわかるように、また、高く積んでも崩れ

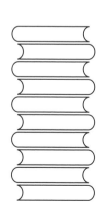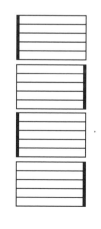

この状態でハトロン紙で帯をかけたり包装されて1箇となる

— 15 —

ない山にして積む必要がある。1段目を平面図のように積み、2段目は逆向きに変え、3段目はもとに戻すという積み方をすると、かなり高く積んでも崩れない。往々にして、返品になった本を、めちゃめちゃに積んでいるのを見かけるが、返品でも商品である以上、読者の手に届くまでは立派な読みやすい本の形にして保管しておくことが当然と思う。

## 本の積み方

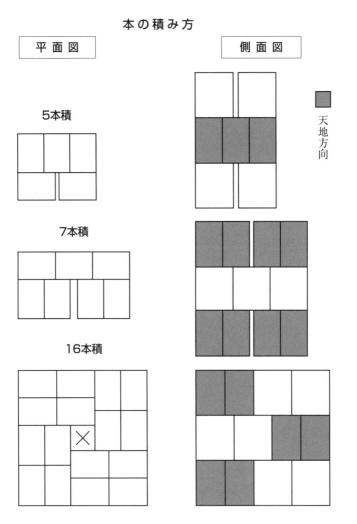

平面図

側面図

天地方向

5本積

7本積

16本積

湿気を避けるため下には必ず、すの子などを敷き、床に直接に積んではならない

## 3. 資材・印刷・製本の基礎

### 3－1　紙の基礎知識

　本の材料は、紙と印刷インキと表紙のクロスやしおり、それに製本材料などである。ここでは、最も主要な材料である紙の基礎知識について説明する。

　紙の仕上寸法は JIS（日本工業規格）P 0138 によって A 列と B 列が決められており、それぞれ 0 番から 10 番まである。通称、規格判という寸法のヨコ・タテの比率は 1 対 $\sqrt{2}$ である。この比率は長い方の辺を半分に切っても、ヨコ・タテの比率が変わらない。0 番を倍判ともいい、A 列は 1 平方メートル、B 列は 1.5 平方メートルの面積である。1 番を全判といい、それを半分に切ったものが 2 番、またそれを半分に切ったものが 3 番である。4 回切ったものが B 列では B 列 5 番であり、通称 B 5 判という。同じように、小・中学校の教科書はふつう A 5 判であるが、A 1 判を 4 回切った大きさということになる。（67 ページ参照）

　印刷・製本などの加工仕上をするためには、余白が必要である。このため市販されている紙の寸法は、これよりも一回り大きい、JIS P 0202 紙の原紙寸法としてきめられている。（67 ページ参照）

　つぎに、ぜひ覚えてほしいのは、紙には「目」があるということである。目とは紙の繊維の流れのことで、紙を抄（す）く場合、水に溶けた繊維が抄紙機の抄網の流れ方向に並ぶ。紙を抄く機械は、幅が 3 メートルから 8 メートルもあり、必要とする紙の目と原紙寸法に合わせて断裁をし、ヨコ目とタテ目、各種の大きさの紙をつくる。このような紙を枚葉紙（まいようし）または平判（ひらばん）といっている。また、輪転機用の巻取紙をつくる。これは新聞や大部数印刷用の紙である。

　慣れると紙を透かして見ればわかるが、紙のはじを水にぬらして、シ

ワの寄りの強い方が流れである。

　この「目」がなぜ重要かというと、紙の目に平行な方向には伸び縮みが少なく、直角方向には伸び縮みが大きいからである。紙の目を逆にしてつくった本は、ノドにひどいシワが出るばかりでなく、水分をちょっと吸っただけで小口が波を打ってしまったり、本の開け閉めがスムーズにいかないなど、本として不適性なものになる。こういう本づくりをしては素人といわれても仕方がない。造本では紙のタテ目、ヨコ目の使いわけをしなければならない。できあがったときに、タテ方向に紙の目が平行になるように、全判の紙の目を選ばなくてはならない。出版社には紙を仕入れるという仕事がある。往々にして間違えて仕入れる場合があり、開きの悪い、読みにくい本をつくれば読者にも申訳がない。

　タテ目の紙を使うのは、本の判型でいえば奇数番号、Ａ５判、Ｂ５判などで、ヨコ目の紙は偶数番号、Ａ４判、Ａ６判、Ｂ６判などに使用する。

　さて、紙にはたくさんの種類がある。私たちが本に使用する紙はいわゆる「印刷用紙」といわれるもので、大きく分けると、非塗工紙と塗工紙になる。非塗工紙の表面に白土を塗ったものが塗工紙である。

　非塗工紙は、上質紙、中質紙、下級紙の３種類に大きく分けられる。書籍に使用されているのは、ほとんどが上質紙であり、中質紙は文字主体の雑誌などに使われる。下級紙はザラ紙とも呼ばれ、テスト用紙など印刷されたものでお目にかかったことと思う。

　紙の原料は木材からつくったパルプであるが、MP（メカニカルパルプ、機械パルプ）とCP（ケミカルパルプ、化学パルプ）に大別される。この間にTMPとかCGPとかの中間的なパルプもある。

　MPは原木の繊維そのもので、不純物を含むので時間がたつと、だんだんと変色して、もろくなる。しかし、不透明度が高く、嵩高（かさだか）な紙ができる。CPは、KP（クラフトパルプ）で代表される。原木

から化学的処理によって純粋な繊維だけをとり出し、それを漂白して白くしたものである。

　この機械パルプと化学パルプの混合比率によって紙の質がきまる。化学パルプ100％でつくるのが上質紙、化学パルプ70％以上（残りは機械パルプ）が中質紙などにわけられる。この化学パルプ100％というのは、パルプの混合の比率で、それ以外の紙の表面を平らにする塡料（てんりょう）などは、重量で10％から20％も加えられている。機械パルプをわずかに加えた、セミ上質紙（通称、セミ上）も書籍用に使われている。目に柔らかく感じられる、クリーム上質紙もある。

　塗工紙は、美術書や雑誌の多色刷に使われる、白土などの鉱物質顔料と接着剤を混合したものを原紙の表面に塗って、つや出しをした紙である。ベースの原紙の種類、表面に塗る量などで、いろいろな種類にわけられる。最高級の紙がアート紙で、以下コート紙、中質コート紙、軽量コート紙となる。外国では、この種の紙はすべて coated paper という。また、写真週刊誌・チラシなどに使う紙は、微塗工紙という。

　このほかに、グラビア用紙という中質紙の表面を加圧して平らにした紙などもある。

　また、本製本の表紙の芯にしたり、函（はこ）をつくったりする板紙（いたがみ）、ジャケット（カバー）・帯紙・見返し・扉などに使うファンシー（ファイン）ペーパーという特殊な色紙などがある。

　また、1980年代あたりから、『百年後本はボロボロ』とか『貴重な古書が消えていく』など、ショッキングな見出が新聞紙上を賑わしたことがある。これは、洋紙の製造工程に欠かせなかった硫酸アルミニウムに基づく硫酸イオンにより、紙の劣化が進行するということである。

　19世紀後半から世に出た欧米の古書がボロボロになっており、図書館などでは既に深刻な問題として対策に取り組んでいるとの情報が伝えられている。このことは後世に遺す良書の出版を志す私たちにとって、重

大な問題として受け止めざるを得ない。現在、わが国ではほとんど酸性物質を含まない「中性紙」への転換が進んでいる。

　また、限られた資源を有効に使おうと、古紙を利用した「再生紙」も徐々に普及してきている。

### 3−2　印刷の基礎知識

　印刷所での仕事は大きくわけて2つある。第1は、組版——出版社からの原稿を割付指定通りに版に組むことである。名刺やはがきのような小さなものと違って、組版ページの多い書籍・雑誌の場合は、組みあがったからといってすぐ校了、印刷というわけにはいかない。赤字の入った校正刷り（ゲラ刷り）が数回にわたって、印刷所と編集者の間を往復することになる。

　この組版にもいくつかの方式があり、鉛活字で組む活字組版、ガラス板の文字をレンズを通して印画紙に印字する写真植字、さらにコンピュータを利用して、メモリーの中にある文字を指定する場所、大きさに印字できるコンピュータ文字組版に分けられる。現在は、活字組版、写真植字はほぼ消滅し、全面的にコンピュータ文字組版に転換している。

　業界の進歩、変化は大変なものであるから、編集者も業界紙に目を通したり、現場に足しげく見学にゆくなどして、印刷・製本界の技術革新に遅れないように努力しなければならない。

　さて、印刷所でのもう1つの仕事は、校了になったものを印刷することである。印刷方法には、版のスタイルから、ふつう凸版、平版、凹版に分けられる（三版式と呼ぶ）。

　凸版印刷は、いうなれば印鑑に朱肉をつけて書類に押すのと同じ原理で、グーテンベルク以来の活版印刷がその代表的なものである。圧を加えるため、力強い印刷効果が特徴となる。

　平版印刷は文字通り、表面がほとんど平らで化学的処理をほどこした

版を用い、画像部と非画像部との表面張力の差を利用して印刷する方法で、普通、ゴム胴に一度転写をして、さらにそれを紙に印刷する、オフセット印刷が使われている。紙への転写圧力が少なくて済むので、文字や線がつぶれることが少ない。ゴム胴から転写するので、粗い表面の紙にも印刷ができる。また、印刷版が強くなり、インキもよく盛れるようになったため文字が力強くなり、書籍・雑誌の文字印刷にも多用されるようになった。

凹版印刷は、凸版印刷とは逆に版の印刷すべき部分がへこんでいて、そこにインキがつめられ、紙に転写されるもので、グラビア印刷がこれにあたる。濃淡の微細な再現性にすぐれているので、文字ものよりむしろ写真や絵などの印刷に効果的である。また、紙幣・有価証券の印刷にも使われているが、これは彫刻凹版という。人の顔や風景、地紋などを微妙に表現することができ、偽造の防止の目的で使われる。

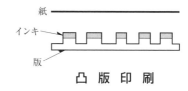

凸 版 印 刷

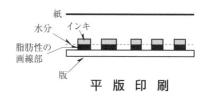

平 版 印 刷

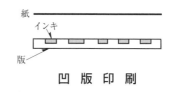

凹 版 印 刷

特殊な印刷では謄写版のように、版の上からインキをつけ、版のぬけているところを通って印刷される孔版がある。ポスターなどに使われるシルクスクリンがこれである。布地の型染めも同じ手法である。

以上の版式は版のつくり方、印刷の原理であるが、それを使って実際に印刷をするには圧力をかけてインキを版から紙へと移動しなければならない。この圧力のかけ方によって、平圧、円圧、輪転に分けられる。

平圧とは、版も平ら、おしつける圧盤も平ら、平らなもの同士をおしつけてインキを移動させる方法である。現在でも、名刺とかはがきなどの小さなものの印刷に使われている方式である。

　円圧とは、版は平らだが圧力をかける方がまるい方式である。版が平らなため、版そのものを往復させて、その片方向で印刷をする。版の往復に相当なエネルギーのロスが生じ、しかもスピードがあまりあげられない。活版印刷がこの代表的な方法である。

　輪転とは、版も圧力をかける方もまるく、両方が回転しながら印刷をする方法である。回転運動のためスピードがあげやすい。オフセット印刷もこれで、版胴、ゴム胴、圧胴の三つを使って印刷をする。また使用する紙も巻取紙を使用すると、さらに能率的である。新聞とか、大部数の雑誌などはこの方式であり、巻取紙を使うので、長巻輪転（web、ウエブ）ともいう。1枚1枚の紙に輪転印刷をする場合、枚葉輪転という。

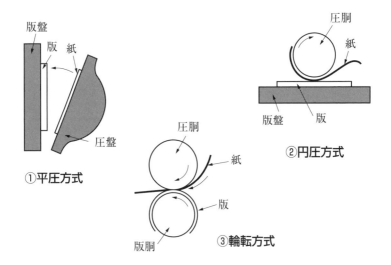

①平圧方式

②円圧方式

③輪転方式

### 3−3　組版の基礎知識

　手書きやテキストデータの原稿がそのまま印刷をされるわけではない。読者が読みやすいように、定型文字に変えなければならない。定型文字とは、同じパターンから生み出される、活字組版・写真植字・コンピュータ文字組版（DTP）などの文字をいう。

　文字の大きさは、活字組版では号とポイントが基準であった。号は中国伝来の大きさであり、基準の 5 号は現在のポイントに換算すると 10.5 ポイントである。初・1・2・3・4・5・6・7・8号があり、数字が大きくなると、大きさは小さくなる。今はほとんど使われていない。

　ポイントは、世界的にはアメリカンポイントとディドーポイントの二系統があり、アメリカ・イギリス・日本はアメリカンポイント、ヨーロッパはディドーポイントを採用している。ディドーポイントの方がやや大きい。略して、ポ・P・pt なども使う（68 ページ参照）。日本では、アメリカンポイントの 1 ポイント = 0.3514 mm を JIS で決めている。数字が大きくなると、大きさは大きくなる。

　写真植字は、1924 年に森澤信夫・石井茂吉により、特許が取得された方式である。0.25 mm を基準として 1 級（Q）とし、4 級が 1 mm である。行送り（行間＋文字の大きさ）やアキの指定に、歯（H）を使うが、これは級とまったく同じであり、移動させる歯車の歯からいう。メートル法であるから、レイアウトなどの計算には便利である。かまぼこ型の変形レンズを光路に挟んで、長体・平体・斜体などの文字もできる。

　コンピュータ文字組版はいろいろなシステムがあり、大きく分けると、級数系と、ポイント系 2 種がある。活字・写真植字では大きさは整数しかなかったが、整数刻みだけでなく、0.5 単位、0.1 単位など、小数点以下の細かい刻みの端数がとれるシステムもある。

　級数は写真植字と同じ 1 級 = 0.25 mm である。ポイントは JIS で決められている活字と同じアメリカンポイントと、正確に 1/72 inch（約

0.3528 mm）のいわゆる DTP ポイントがある。

　行間などの基準は、それぞれのシステムの文字の大きさの基準と同じ
で、級数ならば級数、ポイントならばポイントである。

　文字の書体は、一般に本文用としては明朝体（みんちょうたい、今組
まれている書体）、ゴシック体（小見出しの書体）が使われている。その
他、教科書体、アンチック体（カタカナとひらがなのみ）なども使われ
ている。

　活字組版時代は、印刷所によりそれぞれ特長のある書体を保有してい
た。明朝体では、築地活版体・秀英体・精興社体など、母型メーカーで
は、岩田母型・日本活字・モトヤ・晃文堂などがあった。しかし個々の
印刷所でみれば、明朝体とゴシック体の各１書体ずつしかもっていない。
それぞれの大きさの母型を保有することは大変で、複数の書体を準備で
きない。もう少し太めの明朝が欲しいとか、細めのゴシックが欲しいと
いう要望には応えられなかった。

　手動写真植字時代の初期は、写研の創始者、石井茂吉の石井明朝しか
なかった。1950 年代になってモリサワの書体が出始め、さらに活字書体
を複製した書体、デザイナーの新書体が出現した。活字のようにそれぞ
れの大きさに合わせて母型を準備しなくとも、１枚の文字盤から拡大・
縮小ができるため、割合簡単に新規書体の設計ができる。ただし、拡大
すると文字の力が弱くなるので太めの文字が補充設計され、大きさに合
わせて細・中・太・特太・見出しなど、ウエイト（縦線と横線の比率）
を変えたフォントが増えてきた。

　コンピュータ文字組版は、手動写真植字の遺産を受け継いでおり、活
字時代の一印刷所一書体ではなく、同じ「明朝体」といっても何種類も
もっている。フォントメーカーはオープンに他のメーカーにもライセン
スを与えている例が多いが、書体を外部に出さないメーカーもあり、そ
の書体はそのメーカーの出力機でなければ使えないことになる。

最近書体の数が大幅に増え、どれを選んだらよいか迷うほどである。しかし、すべての印刷所がすべての書体を準備しているわけではないので、よく打ち合わせてから指定しなければならない。

文字以外に句読点・括弧類などの記号があるが、これらをまとめて、約物（やくもの）、印物（しるしもの）という。活字組版時代は1種類しかもっていなかったが、現在はそれぞれの書体に付属している。

文字組版のうちでは、もっとも早くから活字組版が使われてきたため、組版上のいろいろな慣習・用語などは、活字組版にならっている。常用漢字・新仮名遣い・送り仮名の付け方など、約物・印物など、さらに組版ルールも大筋は活字組版時代と変わっていない。そのため、古いと思われるかも知れないが、基本となる活字組版から、説明をする。

活字組版はまず活字鋳造のための母型（ぼけい）が必要である。活字の大きさの種類だけ作らなければならない。この母型を鋳造機の鋳型にセットして、溶かした鉛合金（鉛・スズ・アンチモン）を圧力をかけて流し込み、冷やして活字をつくる。活字の高さが一定していないと、印刷のとき、圧力が平均にかからず、ムラになってしまう。活字の高さは、JISによって23.45mmと定められているが、実際には各印刷所によってまちまちであった。

活字以外に、空白部をうめるクワタ、スペース、ジョスなどの込め物がある。また行間をあけるために入れるインテルという板がある。これ

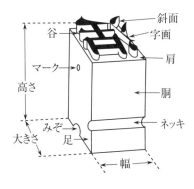

**活 字**

らは皆活字よりも高さが低く、インキがつかないようになっている。

これ以外にケイ線がある。表（おもて）ケイ、中細（ちゅうぼそ）ケイ、裏（うら）ケイなど、さらにカスミケイ、リーダーケイ、波（な

み）ケイなどいろいろな種類、太さの
ケイが使いわけられる。

——————————— 表ケイ

——————————— 中細ケイ

——————————— 裏ケイ

||||||||||||||||||||| カスミケイ

・・・・・・・・・・・・・・・・・・ リーダーケイ

〜〜〜〜〜〜〜〜〜 波ケイ

**ケイ線の種類**

　原稿が印刷所に渡されると、まず文選（ぶんせん）という作業がある。別に鋳造した活字をつめたケースを十数枚も並べた前で、原稿を見ながら活字を１本１本拾い集め、文選箱という小さな木製の箱に順番に並べる。見出しの大きな活字とか、ゴシック、校正で入った訂正用の活字などはこの手拾いで文選されているが、通常の本文用の活字の文選には機械が使われている。全自動モノタイプとか全自動文選機がそれである。

　全自動モノタイプとは、入力機で原稿を見ながらキーを押し、紙テープに符号化して記録する。この紙テープを鋳造機にかけると、符号に合わせて母型を母型庫から取出して、鋳型の前に固定し、活字を順番に鋳造する。全自動文選機も同じように、紙テープに符号化して、あらかじめ鋳造してある活字をケースからとり出して、順番に並べる。

　簡単な組版なら、インテルを行が替わるごとに挟んで、あとで見出しとか、柱・ノンブルを組んで１ページにまとめることが多かった。

　通常の組版では、この拾い集めた活字を植字工がステッキという道具の上で並べながら、必要な約物（句読点や括弧類）を間に入れて、組版ルールに従って禁則処理（句読点が行頭にきてはいけないなど）の調整を済ませ、スペース・クワタを活字の入らない空白部分に入れ、行間にインテルを挿入してまとめあげる。ステッキがいっぱいになると組ゲラに移し、１ページ分まとまると、柱・ノンブルを組み足して、組版糸でまわりを縛り、置ゲラに移す。図版の入る部分はメタルベース（金属製の台）を組み込み、その上に両面接着テープで図版を固定する。

　組み上った組版を、仮に印刷をしたものが校正刷（ゲラ刷）である。

この上に加えられた訂正（赤字）に従って、正しい活字を新しく拾い集め、ピンセットで誤った活字ととり替える。この作業を差替という。

　直しが全部終わると、校了となり、印刷をしてよいことになる。

　部数が多かったり、将来増刷が考えられる場合は、紙型（しけい）をとる。紙型とは、特殊な紙を湿して組版の上にのせ、圧力と熱を加えて型をとったものである。この紙型を型として鉛合金を流しこんで鉛版（えんばん）をつくる。部数が多い場合は、この上にさらにメッキして表面を硬くして、耐刷力を増すようにする。

　現在の本文の印刷は、ほとんどオフセット印刷となっている。活版印刷機は製造中止であり、機械を入れ換えることは不可能である。活字組版からきれいに印刷をして（清刷、きよずり）、それを版下として写真撮影してフィルムを作ったり、データとして取り込んだりして、オフセット印刷用の刷版に焼き付けて印刷をすることも行われている。

　写真植字は、ネガ（文字の部分が透明）の文字盤に光を通し、レンズで拡大・縮小して印画紙に焼付ける方法である。一時、本文の組版にも使われたが、訂正が非能率的なため、コンピュータ文字組版におきかえられた。写真植字の機械は現在製造中止となっている。

## コンピュータ文字組版

　現在は活字組版に代わって、コンピュータ文字組版といわれる組版となった。原稿（テキストデータ）を編集装置（コンピュータ＋組版ソフト）で処理をしてページの形にまとめあげ、レーザプリンタで普通紙に出力する。校正して、訂正部分を修正して、直しが終われば、印画紙に印字をし、でき上がった印字物を写真撮影して、図版類をはりこみ、フィルムを作り、刷版（さっぱん）に焼き付けていた。現在は、組版ソフトによって完成したDTPデータを直接印刷版に出力するCTP（Computer To Plate）が主流で、これを印刷機にかける。

　コンピュータ文字組版では、歴史的には電算植字がいちばん古く、そ

の普及機として電子組版、さらに DTP となってきた。

電算植字は手動写真植字からの伝統で、洗練された書体が充実しており根強い人気があった。

電子組版は、日本語ワードプロセッサの上位機種で、簡単な文字物ならば一応の組版ができたが、現在は DTP とほぼ同義語となっている。

DTP は、1985 年アメリカ、アップル社のマッキントッシュを中核として発表されたシステムが最初である。当初、日本語用としては書体に制限があり、組版ソフトも翻訳がベースであり不完全であったため、なかなか普及しなかった。組版よりも、デザイナーが使用してデザインの分野に多用された。その後、多くの書体が供給されるようになり、日本語用の組版ソフトも研究改善され、現在の文字組版の主流となりつつある。

活字組版では、印刷所に任せておいても作業者が高い能力を持ち、常にあるレベルの組版が保証されていた。組版技術者の技能・ノウハウを使わせていただいたからこそ、あれだけの組版ができた。その頭脳はどこかに行ってしまい、明治以来百年の伝統は消えてしまった。

コンピュータ文字組版では、組方の細部が微妙な点で活字組版と違うのは当然であるが、印刷したものを読むのは同じ人間である。読みやすい、美しいと感じる点は同じであり、読みにくい、神経に障ると感じる部分も変わらない。

文字組版の品質は見る人が見ればすぐに判断できるが、慣れない人にとっては難しいことでもある。組版の内容は、文字の書体から始まり、組版上の約束ごと（組版ルール）をきちんと守り統一されているかということが重要である。

これだけ普及し、コンピュータを使える人は多いけれども、コンピュータはあくまでも道具であり、使う人の頭脳以上の仕事はできない。現場の作業者の中にはコンピュータを使うことに熟達していても、文字組版に対しては知識が不足しているという例が多い。

とくに最近の組版ソフトは、発注者側の要望に応えて、選択肢が多くなりすぎ、どれを選ぶべきかに迷いが生ずるくらいである。

　もちろん、DTPによる立派な印刷物もあるが、発注者側の見る眼が重要であり、印刷所だけに頼っているわけにはいかない。

　現在のコンピュータ文字組版は、そのほとんどがDTPとなっている。

　仕事の流れは、組版の方式は違っても基本的には同じである。

入力　➡　編集（組版）　➡　校正（差替）　➡　出力

という流れは同一であるが、DTPだけは作業を印刷所がするとは限らない。発注者側で組版する場合もあるし、中間に入ったデザイン事務所・編集プロダクションなどが作業する場合もある。もちろん従来どおり印刷所が組版することもある。

　まず、手書き原稿の場合は入力という作業があり、人間が文字情報・組版情報をキーボードを通じて、コンピュータに判るように符号化してやる作業である。

　その記録記媒体は、USBメモリ、ネットワークストレージやクラウドなど、どんどん新しい電子媒体に転換している。

　また、著者が原稿を書く際にもパソコンを使用することが多く、そのデータが、メールの添付ファイルやオンラインストレージで渡されることも増えてきた。

　文字情報・組版情報をまとめてコンピュータで処理して編集をする。この方式は大きく分けて一括処理（バッチ処理）と対話処理（WYSIWYG、What You See Is What You Get、ウイジィウイグ、場面処理）となる。従来のCTS（Computerized Typesetting System）、電算植字では一括処理が普通であった。一括処理の方が全体の体裁が統一しやすいが、DTPで主流の対話処理は、場面処理が多くなるため組版ルール上の不統一が起きやすい。

　また、組版ソフトの多様化が進んで、入力機➡編集機➡出力機とセッ

トのシステムが少なくなっており、入力機はパソコン、編集機もパソコンに組版ソフトをのせたものに変わっている。

校正は、普通紙に出力する LBP（レーザビームプリンタ）による。600 dpi（lpi）程度の粗いドットのため、また打ち出した校正を通数を増やすためコピーするので、ますます不鮮明になりやすい。

ここで入った赤字は、データを修正して再出力する。その都度コンピュータが計算をするため、出力するたびに新しいミスの発生がありうる。毎回校正を出すたびに新組である。

当初は、印画紙に出力しカメラで撮影してフィルムとしており、印画紙出力（最終校正）では貼込みによる訂正も行われていた。

このような作業は現在ではなくなり、校了となったコンピュータ内のデータを、刷版に直接出力する CTP（Computer To Plate）が普及している。

PDF（Portable Document Format）という、異機種のコンピュータ間で共通のフォントを持たなくとも同じ書式で画面表示と印刷ができるファイル形式がある。出版社側で DTP などで組版データを作成して通信回線で送れば、どこの印刷所でも同じ書体・レイアウトで出力できるソフトであり、実用化している。

ただ、後から訂正があった場合には、元データに戻らなければならないので、完全校了でないと問題が起きることがある。


### 3−4　製版の基礎知識

かつて、活字組版の本文中に入る、写真とかグラフ・イラストなどは、別に版を作らなければならなかった。

グラフ・イラストなどは、線画といい、写真に撮影してネガを作り、亜鉛板に焼付け、腐食をして凸版を作っていた。

写真は、同じように製版するのだが、フィルムの前にコンタクトスク

リンというフィルムを重ねて作業していた。写真の濃淡は、そのままでは印刷できないので、一度、網点の大小に置き替えなければならない。写真の印刷物を、拡大鏡でみるとわかるように、黒い部分には黒に小さな白点があり、中間部分は白黒の点がいりまじり、明るい部分は小さな黒点が見えるであろう。この網点が1 inch の間にいくつあるかで、細かい部分まで表現できたり、粗い表現しかできなかったりする。これは紙の表面が平滑であれば細かい網点を、新聞などでは粗い網点を使う。

　オフセット印刷も、この製版の原理は同じである。グラフ・イラストなどは撮影したフィルムを本文のフィルムに貼込み、写真も同じように網点にしたフィルムを貼込んでいた。

　現在は、これらの作業もコンピュータを利用したものに代わっている。

　カラー製版は、三原色に分解して、墨（印刷では黒をスミという）を加え、四色ですべての色を表現する。

　現在は、デジタルカメラで撮影したデータ（RGB）を、画像編集ソフトによって印刷用の四色（CMYK）に色分解し、文字部分と合わせて1ページにまとめる。

　三原色には2つある。一つはコンピュータのディスプレイなどの画面上で、RGB（Red、Green、Blue）の色光の三原色、これは加色混合で色を重ねると白色光に近づく。DTP などを利用したカラー製版の画面上では、この RGB で分解してから、印刷用の CMYK に変換をする。

　印刷の方では、CMY（Cyan、Magenta、Yellow）の三原色を使う。こちらは減色混合で色を

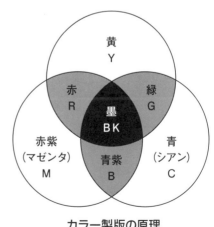

カラー製版の原理

— 31 —

重ねると黒に近づく。実際の印刷では墨（K、BlacK）を加えて、CMYK を刷重ねて、カラー印刷ができる。

現在のカラー印刷はほとんどが、この四色で印刷されている。

DTP のソフトで、色分解・製版までできるものがあるので、あまり品質に要求が少ない場合には、これで済ますことができる。雑誌などはこのソフトを使うことによって、時間・経費の節約を図っている。

### 3－5　製本の基礎知識

印刷所で刷りあがったものを「刷り本」というが、この刷り本をとりまとめ、本の形に仕上げる工程が製本である。製本には様々の方法があるが、ここでは一般的な書籍の製本についてだけ述べることとする。

**本製本の背の様式（1）**

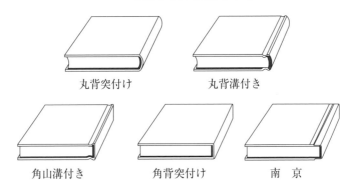

丸背突付け　　　　　丸背溝付き

角山溝付き　　　角背突付け　　　南　京

**本製本の背の様式（2）**

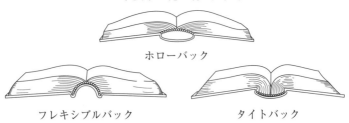

ホローバック

フレキシブルバック　　　　　タイトバック

書籍の製本は大きくわけて「本製本」と「仮製本」の2種類がある。本製本は上製本とも呼ばれ、辞典、百科事典や各種の単行本に用いられる方法で、中身（本文など）と表紙が別々の工程で進められ、最後に、裁断された中身を表紙でくるんで仕上げる方法である。表紙が一回り大きく、チリがあるのが特徴である。

　本製本には、背に丸みをつけた丸背と、背が平らな角背がある。また、中身と表紙の接着方法によって、タイトバック、フレキシブルバック、ホローバックの3様式にわかれる。タイトバック（固背、かたせ）は背が固く丈夫であるが、のどの開きが悪い欠点があり、フレキシブルバック（柔軟背）は背が軟らかく開きは良いが、背にシワが寄る（特に箔押しの背文字などはすぐ崩れる）欠点がある。そこで、中身の背と表紙の背とを密着させず、開いた時空洞になるホローバック（腔背、あなせ）が現在では主流になっている。

　仮製本は並製本とも呼ばれ、糸、接着剤、または針金で綴じた中身を表紙でくるみ、いっしょに仕上げ裁ちをする。したがって、仮製本は表紙と中身の大きさが原則として同じである。最近ではあじろ綴じの手法が発達し、接着剤のみで上製本もできるようになってきている。あじろ綴じとは、のどの部分の折りの真中に切込みを入れ、外側から接着剤をしみこませる方法である。これは、折りの段階で切込みを入れるため、事前に連絡をしておかなければならない。

　いちばん多いのは、無線綴じといわれる、背中を一度バラバラに切り放して、接着剤で固める方法である。この接着剤はホットメルトと呼ばれ、温度が高ければ溶け、冷やすとすぐに固まる性質がある。ことに雑誌など、多種類の紙が混在する製本に使われる。

　ラインで一回りすれば、本になってでてくる。端から折った刷り本をページの順番に並べながら、背中を削り接着剤を塗り、表紙を付けて冷却すると接着剤が固まり、本の形になる。すぐにこの三方を断裁すれば

完成するので、大量生産には適している。

　こうしてできあがった本体に、売上カード（スリップ）・読者カード・宣伝用パンフレット・書名目録などを挟み込み、ジャケット・帯紙をかけたり、外函に入れたり、包装をして商品として完成する。

# Ⅲ　本の編集・製作

## 1.　企　画

　本をつくることの最初に「企画」がある。企画には大まかにいって次の6つの要素がある。

⑴　どんな分野の内容のものをつくるか。

⑵　内容にしたがって、どの著者に原稿を依頼するのが良いか。

⑶　その本を誰にむかってつくるのか。読者対象、市場の問題。

⑷　どんな形でつくったら良いか。これには、体裁の問題のほかに、「定価」をどうするか、「書名」をどうつけるのかという要素も含まれている。

⑸　どのくらいの部数をつくったら良いか。出版は見込み生産のため、これも非常に重要である。固定的な費用が部数の多少により、1部当たりに割り振られるので、定価にも影響をしてくる。

⑹　その本をいつつくり、いつ売りだすかというタイミングの問題。例えば、大学で使うテキストは、前年の内にほぼ採用が確定するので、その時期までに見本ができていなければならない。また必要な時期に決められた部数を揃えることも大切である。9月まで待ってくれといっても笑われるだけである。冬のスポーツの本をいつ出すか、受験参考書はいつが良いか、とんでもない時期に出して売れるものではない。ベストセラーも、時代の流れをつかみ、タイミング良く出してこそ成立するのである。また、同種の本を何社かで競合して出す場合、先に出した方が勝ちとあれば、発刊の早さくらべになる場合もある。また、予約出版の場合は、発行時期を約束し予約購入していただくわけだか

ら、発行が 2 カ月遅れましたでは、読者の信用を失ってしまう。

　企画には以上の 6 つの要素があるが、この(1)～(3)までは企画というと すぐ頭にうかぶ事柄であろう。いっぽう、(4)～(6)は「商品としての本」 という意味が強い要素である。

　企画については、各社ともその社特有のルールがあると思う。自分の 社の企画がどのようにしてできるのか、早くルールを身につけるべきで あろう。しかし、企画の立て方、また企画そのものについては、全部社 外秘であることを忘れないようにしなければならない。プライベートに 親しい関係であっても、自分の所でこういうことをやっていると、社外 で話すことは慎しむべきであろう。いくら多品種少量生産の出版界であ っても、烈しい競争が行われているわけだから。

　これから編集に携わる人は、市場調査をするとか、読者のニーズは何 なのかといったことを、社内でいやというほど聞かされることだろう。 企画について共通していえることは、誰にむかって、どのくらいの部数 を、いつつくるかという、(3)(5)(6)の問題を十分に吟味して立案すること が大切だということである。


## 2. 原稿依頼、入手

　企画が社で取りあげられ、本をつくることが決まると、原稿依頼がは じまる。著者交渉は、著者にどういうふうにこの本を書いてもらうかを お願いするわけである。その際重要なことは、約束ごとをしっかり決め ることである。印税や原稿料の取決めはもちろん、いつまでに原稿を書 いてもらうか、分量は原稿用紙何枚にするかなど、はっきりとその場で 決めたいものである。すなわち、後に文書で締結する「出版契約」に関 しての基本条件が、最初の段階で著者との間で確認されていることが望 ましい。(日本書籍出版協会作成『出版契約書』参照)

　条件といえば、原稿が組版の段階に入って、あるいは校了に近い状態

で、著者の大幅な手直しが入る場合がある。それを組み直すのには当然ながら組版代を余分に払わなければならず、製作コストに影響してくる。出版社は「商品としての本」をつくっているわけで、このようなコストは著者の負担としてほしいと思うが、現実にはなかなか難しい。

　本の内容に関する責任は、原則として著者にある。したがって、上記のようにビジネスの面でも明確にしておく必要がある。いっぽう、編集者は著作物の最初の読者でもあるわけだから、原稿の段階で問題になる内容をチェックし、著者に進言できるような目を養いたいものである。

　企画のところで、発行時期、タイミングが非常に重要であることを述べた。この発行時期を守るためには、何よりも原稿を予定した時日に確実に入手することが大前提となる。

　新聞記者や雑誌記者が夜討ち朝駆けをしたり、流行作家の家へ何人もの編集者がおしかけ、原稿をもらうまでねばりにねばるということは、ドラマなどにも良く出てくる。流行作家でなくとも、ただ編集者が黙っていては原稿は期日までにまず入手できない。著者の側からは、督促がなかったから、気乗りがしなかったから、体調をくずしたから、急に外国にでかけるから、大学がこのところいそがしいなど、様々な理由がついて、なかなか期日までに入手することは困難である。そこで、編集者の熱意と誠意とが、著者が予定通りに原稿を書いてくれるかどうかにつながってくるわけだ。

　ここで特に若いみなさんに注意しておくが、往々にして著者をおこらせてしまうことに、電話による督促がある。編集者が出勤してきて、朝9時に電話をしたとする。しかしたまたま、著者にとっては前の晩から徹夜をし、床について間もない時刻であったとしたら、起こされた著者はどんな気持を持つだろう。こちらから相手の状態がわからないだけに、電話でのやりとりはどんなに丁寧な言葉を使っても、慇懃無礼になるきらいがある。電話での督促は、電話できる状態かどうかをよく考えてや

ってほしい。また、携帯電話が一般的になってきてはいるが、濫用することは避けるべきである。著者との人間関係が確立されていればよいが、「いちいち出先まで追っ掛けてくるな」と叱られることもある。

　最近、著者が自ら入力した電子データを原稿としていただくことが日常化してきた。原稿執筆にパソコンが使われることは多くなっている。一部の文芸出版社では、まだ手書き原稿が一部残っているという話も聞くが、普通は電子データで、メールに添付ファイルとして送られてくることもある。

　この電子データによる原稿をコンピュータ文字組版へつなげるには、一度内容を打ち出して整理する。

　これらのデータはすべて JIS で決められている情報交換用符号に基づいている。この符号に規定されていない文字・記号は、原則として違うコンピュータの間では交換できない。著者がそれぞれのパソコンで作成した外字類は化けるし、レイアウトに凝った原稿は変換が困難で、そのままのイメージとならない。表組は組版できず崩れてしまうことが多いので、あらかじめ著者の了解をいただいておく。

　始めからこういう形式で原稿をいただくことが予定されているならば、打ち出すハードコピーは、字詰・行数を一定にして、行間を適当にあけておいていただく。後で字数の計算、加筆・訂正できるスペースが必要である。ベタベタに詰められると赤字の書き込みができない。改行キー、空白キーを必ず入れておく。逆に普通の行は段落まで改行キーを入れない。打ち出したもの（ハードコピー）と入力に使用した機種とソフトの名称・バージョンを確認しておけば、処理が容易になる。

　ハードコピーは欧文が混じる場合、明朝体で打ち出したものが望ましい。明朝体で打ち出すと欧文は普通のローマン体となる。ゴシック体で打ち出すと欧文が混じった原稿では、数字の 1（イチ）、欧文の I（アイの大文字）、l（エルの小文字）の区別、数字の 0（ゼロ）、欧文の O（オ

ウの大文字）などの区別が難しくなる。

　原稿の整理は入念に、特に著者の変換ミスのチェックは十分にしてお
かなければならない。

　原稿を入手できたら、編集者はまず原稿を読まなければならない。

　また、督促に行った場合でも、書きかけの原稿を見せてもらい、これ
は立派な原稿ですといったり、ここをもうちょっと詳しく表現していた
だければ大へん良いと思います、などということのできる編集者になっ
てほしい。著者に書く意欲をおこさせる、あるいは編集者としての助言
ができるようになれば、一人前に近づいてくるわけである。商品として
の本をつくることもやはり生身の人間同士が共同して行うことだから、
著者との人間関係を大事にしていただきたい。アメリカなどでも、出版
社の一流のディレクターには、執筆者がついてまわるといわれている。
日本でも著名な出版社の編集長には、人間関係で信用を持ちあった多く
の著者、執筆者がいる。若い人が飛び込んでいっても、まず引き受ける
ことがないのに、その人が行けば著者が引き受けるといったように、著
者との人間関係の積み重ねによって、編集者として一人前かどうかが決
まるといっても過言ではないだろう。


## 3.　原稿の整理・割付

　何百枚という完成された原稿をそっくりもらえる場合、これだけでき
たからと一部だけもらえる場合など、いろいろなケースがあるだろう。

　原稿を入手したら、整理と割付（わりつけ、レイアウト）ということ
になる。この段階ではまず出版台帳をつくることが必要である。出版台
帳とは、原稿の入手状況、つまり入手した日付や枚数、図表の数などを
記帳しておくもので、他に印刷所への入稿や校正刷りの出校日、著者校
として著者に届けた日、返却日など、校了・発行までの進行の状況も記
録していく。編集者にとって、自分の担当した本の進み具合がひと目で

わかる大切なものである。社にルールがなければ、大学ノートにでも自分自身の整理のつもりでそれらの事柄をメモしておく。初めての仕事をする時から、そうした習慣をつくっていきたいものである。

原稿は著者にとっても出版社にとっても、非常に大切なものである。受けとってからの管理は慎重にしなければならない。原稿にひととおり目をとおし、入れ違いのないことを確認する。また、コピーをとっておくことも、印刷所、出版社、著者と原稿がいろいろのところへ移動してまわるので、打合せとか、万一の紛失の際に役立つ。

原稿整理としては、文脈が通っているか、言葉づかいの統一や、文字・かなづかいの誤りの訂正、小見出しをつけた方がよいか、写真や図版を入れた方がよいかどうかなど、読みながら検討していくわけである。

送り仮名の問題は、とくに統一上目立つので注意する必要がある。基準をどうするかが第一の問題である。

一般的には内閣告示の『送り仮名の付け方』によることが多い。

これに決められている送り仮名には本則・例外と許容がある。本則が基本であるが、慣用的にそれと違う送り方が例外であり、本則と例外がまとまって一つの方針となる。また、本則には合わない送り方が慣用的に定着しているものが許容として認められている。

方針としては、「本則・例外を採用」「許容を採用」「個別の言葉ごとに決める」「著者の送り仮名を尊重」が考えられる。

内閣告示の『送り仮名の付け方』を例にとってみよう。

送り仮名が多いほうが許容とは限らない。

本則　表す、現す、行う、断る、賜る。

許容　表わす、現わす、行なう、断わる、賜わる。

本則　浮かぶ、生まれる、起こる、落とす、当たる、終わる、変わる。

許容　浮ぶ、生れる、起る、落す、当る、終る、変る。

また、送り仮名は多めに送れという考え方もあるが、これは本則と許

容の混合となるので、整理には個別の問題として注意しなければならない。この本則と許容の区別がよく誤解され、多いほうが許容だとか、逆に少ないほうが許容だとか誤ったことをいう人もいる。教科書・児童物では、固有名詞を除いて、本則と例外だけ、許容は使わない。

　著者入力の電子データを変換して使用するときなど、この本則と許容のチェックをしっかりと行わなければならず、パソコンのワープロソフトに組み込まれている辞書のみに頼るわけにはいかない。また、ワープロソフトに入っている送り仮名と、出版社側の基準としている送り仮名の整理法と、細かいところで違っていることが多いので、後で整理し直さなければならない場合がある。

　外来語のカタカナ表記は、1991（平成3）年6月に内閣告示された。ただ、これはいろいろな表記を認めるという方針であり、簡単にこの告示によるなどとはいえず、どう整理するかの方針をこの中から選んで、きちんと決め直さなければならない。これを離れて、新しい整理方針を考えてもよいが、全部を網羅することは不可能に近く、『外来語の表記』を基本とした方が作業がやりやすいはずである。外国の地名・人名はこれにならって考えることになる。

　引用は、引用部分をはっきりと判るように、かつ出所明示が必要である。また、差別用語・不快用語、名誉毀損・プライバシーの侵害には、慎重に対処しなければならない。

　著者の原稿が電子化されているので、原稿整理をコンピュータで行おうという動きもある。しかし、原稿整理をする方針が決めなければ使えないし、そのためには人間がまず原稿を読まなければならない。また結果は必ず人間が確認する必要がある。コンピュータは命令を処理する機械であるから、どういう命令をするか、命令に落ちがなかったか、命令した通りに処理されているかを人間が確認しなければならない。

　そして次に割付（レイアウト）に移る。

割付とはどんな形で本にするのか、ということである。まずそれには本文の組体裁を決めなければならない。つまり、本の大きさ（判型）をどうするか、タテに組むのかヨコに組むのか、また仮にＡ５判に仕上げるなら、どのくらいの面積に、どのくらいの字数を入れるのか、というように組体裁や版面（はんづら）の大きさを決めるのが割付の最初の仕事である。そして、見出しや本文の文字、およびノンブルや柱の大きさを指定する。例えば、Ａ５判のタテ組の場合、使用文字を９ポとした時にタテに何字入れるか、左右は何行にするか、行間はどのくらいあけるか、などを決めていくと、版面の大きさや１ページに入る字数が決まってくる。余白とのバランスを考えなければならない。最近のコンピュータ文字組版では、システムによっていろいろな明朝体があり、同じ大きさでも見た目に違いが出て、字詰・行間にも影響がある。

行長（字詰）が長ければ、行間を広げないと読みにくくなる。可読性がよくなるような版面設計が大切である。漢字の割合が多ければ全体的に黒っぽくなるので版面は小さめにする。文字が大きい場合も版面は小さめにしないと鬱陶しくなる。

慣れれば、原稿用紙何百枚のものが何ページにおさまるか、ほぼ想定できる。逆に、編集者はページ数を先に決めておいて、おおよその原稿枚数を最初から頭に入れて著者と交渉しているわけである。ただ、原稿用紙は400字詰（20×20）が多いので、改行が多い原稿は当然、行数が増えることを忘れてはならない。

割付にはさらに、もっと複雑な応用動作を必要とする場合がある。写真版や図版、グラフが入ったりする場合で、それは版面の大きさを決めた後に、図版などの寸法を考えて、本文のアキやそこに入る説明文などをきちっと指定しなければならない。

写真原稿はできるだけ印刷物（網のかかった）を避けるのが望ましい。デジタル写真の原稿がほとんどであるが、すべてではないので注意が必

要である。

　図版原稿は、著者の原稿がそのまま使用できる場合、新規に書き起こす場合などがある。そのまま使用する場合は、仕上がり寸法にした時の文字の大きさを確認しておく必要がある。あまり大きすぎても小さすぎても困る。新規に書き起こす場合は、手書きすることが少なく、DTPなどで作図することが多いので、線の太さ・文字の大きさ・本文と合わせた組版原則を指定しておく必要がある。

　表の原稿は、そのまま使える場合と、新規に配列を考えて書き直す場合がある。とくにタテ組の本にヨコ書きの表を入れるときに注意する。

　全体的に大切なことは、全部揃っているか、欠けているとすればどこが足りないかを確認しておかなければならない。

　また、コンピュータ文字組版のどのシステムで行うかは、割付、校正、印刷にいたるまで重要なかかわりをもってくるので、最初にしっかりと検討しておくことが必要である。このような作業は印刷所まかせであってはならない。ことにDTPでは、組版をする人達の経験が浅い場合、おかしな組版が出てくることがある。組版原則（組版ルール）は、各出版社ごとに基本原則として決められているはずである。以前の活字組版では当然、承知しているようなことも、コンピュータ文字組版では念を押しておく必要がある。

　こうして割付を進めていくわけだが、一応の割付が済んだところで、印刷所に「組見本」というものを少なくとも２ページ以上、見出しの入る部分と、文字で全部埋まっている部分を組んでもらい、それによって、自分の考えていた通りの版面になっているか、アキすぎていないか、行間がせまくて読みにくくないか、文字の大きさが適当かどうかなどを判断することも必要である。組見本は、文庫や新書のように、何点も同じパターンでつくるものの場合は、最初のものだけであとは必要ない。

　なお、非常に細かい複雑な組版を印刷所に発注する時は、必ず最初の

段階で明確な組指定をしておかないと、後で問題が出て組直しが生じたりすれば、組版単価に影響するので十分な注意が必要である。

## 4. 漢字の書体、字種・字体

　書体とは、手書き文字でいうと楷書、行書、草書等である。印刷上でいうと書体はデザインの差異であり、日本語では、大きく分けて明朝体とゴシック体がある。明朝体は、横線が細く縦線が太く、筆押さえがある。活版印刷より以前に、古来、中国や日本で使われてきた木版印刷では、彫り易さから画数を少なく、曲線を直線にする形で印刷文字が作られ、明朝体もこれを踏襲している。ゴシック体は、筆押さえがなく、見出しなど強調したい部分に使われることが多い。一般的に本文には、可読性の高い明朝体が良く使われる。また小学校の教科書に使われている教科書体もある。これは、低年齢の学習者を混乱させないよう、止め、はね、はらいなど手書きの文字の手本となるようにデザインされている。上記以外もさまざまな書体があり、時代に合わせて新しい書体がデザインされて流行する一方、長く使われ続ける書体や古典的な書体を復刻して作られるものもある。

　アルファベットでは、ローマン体（セリフ）とゴシック体（サンセリフ）の二系統に大きく分かれる。セリフはウロコの意味で、文字の起点や終点にある飾りを示す。ローマン体は、新聞や論文に使われるTimes New Roman、フランスで作られ長い歴史を持つGaramon（ギャラモン）や、ゴシックでは、汎用性が高いHelvetica（ヘルベチカ）、東京メトロの欧文サインに使われているFrutiger（フルティガー）などがある。

　和文・欧文ともに、本文の書体は、内容にふさわしく、読者層や可読性を考慮に入れてフォントを選ぶのが望ましい。

## 字種・字体

　字種とは、一つ一つの漢字を指し、部分的な差異はあっても一つの字種（例：学（學）、鷗（鴎））として扱う。同じ字種で、構成する一部が異なっているものを異体字と呼ぶ。例えば、亀（龜）や、辺（邊、邉）などは十種類以上の異体字を持っている。明治時代から、生産性の向上や漢字教育の負担の軽減の観点から、漢字の簡易化（旧字：戀（新字：恋））や、日常使用する漢字の制限が検討され、常用漢字表、標準漢字表などが公表されてきた。日本で旧字と呼ばれているものは、中国の清の時代に作られた康熙字典体にならうものが多い。1946 年、公用文書、新聞・雑誌等で使用する漢字の範囲として、当用漢字表（1850 字）が内閣告示された。この中で、従来旧字が正字として載っていたものの一部が、新字に入れ替わっている（例：糸（絲））。1981 年の、当用漢字表の廃止、常用漢字表の制定・改訂の過程で、漢字の追加が行われてきた。また JIS コードの改定も行われ、新字・旧字の第 1 水準と第 2 水準の入替えなども行われてきた。2010 年には常用漢字表（2136 字）が内閣告示されたが、これは漢字の使用を制限するものではなく一般的な使用の目安としている。

　新聞で使われている漢字は、日本新聞協会が公表している新聞用語集の新聞常用漢字表（常用漢字表に一部追加・削除）に準拠しており、それぞれの新聞社でもハウスルールがある。書籍や雑誌については、常用漢字を使用の目安として、幅広い読者向けに読みやすいものを目指す場合があるが、文芸書・専門書などジャンルや読者対象によって、常用漢字以外の漢字を使用することも多い。それらを使用する場合の参考として、表外漢字字体表（2000 年、文化審議会答申、1022 字）が印刷標準字体として示されているが、これも標準字体の使用を強制するものではなく、また、常用漢字・表外漢字字体表に載っていない漢字の使用を制限するものではない。特に固有名詞などはこれに捉われない。漢字の読

みや送り仮名については、前述の『送り仮名の付け方』のほか、漢和辞典、常用漢字表、各新聞社で発行している新聞用語集などが参考になる。

　常用漢字表の別表として人名用漢字表があり、子供の名づけには、常用漢字表と人名用漢字（863字、2017年）から選ぶことが決められている。人名用漢字の改定も、しばしば行われており、時代によって名づけに使える漢字は変遷している。常用漢字と人名用漢字のいずれかに、旧字・新字の両方が登録されているもの（弥（常用漢字）、彌（人名用漢字）、片方しか登録されていないもの（鷗は人名用漢字、鴎は登録されていない）などさまざまである。

### コードとの関係

　明治期から本格的に始まる活版印刷では、作家が手書きした文字を、活字鋳造すればどのような漢字も印刷できた。現在は、電子データで原稿を作成することが多い。パソコンなどのコンピューター上で表示される数字、アルファベット、記号および漢字（平仮名・片仮名含む）は、全て電子的符号が与えられている。日本で使われているのは、執筆現在（2020年）は、JISコード、シフトJISコード、EUC、国際的な規格であるUnicodeである。データを受け渡す際に、機種、OS、JISコードの年代が異なる場合、文字化けをすることや、異体字に変わること（鷗と鴎（旧字と新字）、辻と辻（二点しんにゅうと一点しんにゅう）があるので、注意が必要である。特に常用漢字・人名用漢字以外で使用頻度の少ないものについては、固有のコードや機種依存の字もあるので留意したい。

　Unicodeは、世界中で同じコードが使われるべきとの目的から作られたもので現在は国際規格（ISO/IEC 10346（UCS））とほぼ同一となっている。UCSを使っていても国によって表示される字が異なる場合（日本：週、韓国：二点しんにゅうの週：コード9031）や、同じ字種に異なるコードが付番されていること（日本：戸6238、中国：戸6237（一

画目が点）、韓国：戸 6236（一画目が払い）もあるので、海外とのデータのやり取りは、慎重さを要する。

## 5. 組版ルール

組版ルール（組版原則・組方原則）とは、原稿に従って文字組版をする場合に守るべき原則で、原稿指定・組版作業・校正をするときの基準であり、活字組版時代には空気や水のような存在であった。昔の編集者・校正者は自分たちの努力よりも、現場の作業者、文選・植字・差替作業者の頭脳・経験・ノウハウに支えられていた。コンピュータ文字組版時代となって、この組版ルールが大きくクローズアップされてきた。組版ルールは、日々の仕事の積み重ねの中でルール化されていたが、文書化の例は少なく、オックスフォードルール・シカゴルール（後出）のようなルールはない。各社のルールは細部には違いもある。

組版ルールは、「読者に読みやすく、誤読されないように」することが第一で、ついで体裁よく「見た目に美しくする」ことである。順序が大切で、見た目優先ではない。

行長は決められた長さに文字をベタで並べ（禁則処理の調整は除く）各行を揃え、段落の終わりは空白にして残す。行長が揃わず行末が凸凹したり、文中のある行だけ極端に字間が空いていたり、段落の最後の行がバラバラに割れた印刷物をよく見かけるので注意したい。

和文文字は正方形、1 行の長さは使用文字の整数倍で、文字と文字との間は、原則的に空けない（ベタ組）。文字（フォント）はベタで並べたときにバランスが取れるように設計されている。

行頭にきてはならない文字（行頭禁則）は、句読点・括弧類の受け、などがある。音引き、拗促音は禁則とする場合と許容する場合がある。

行末にきてはならない文字（行末禁則）は括弧類の起こしである。

これは、句読点・括弧類の受けなどは前の文字と切り離せないし、括

弧類の起こしは後ろの文字と切り離せないからである。

　分割禁止は、二倍ダーシュ・二倍リーダなどで行末・行頭に分離してはいけない。

　受けの括弧類と起こしの括弧類が重なれば、間が全角空くと開きすぎて見えるので二分詰める。句読点と起こしの括弧類なども同様である。

　このため出た半端の調整の方針を決めなければならない。どこか、何箇所かで詰めるか空けるかして、行長を決められた文字の整数倍に揃える。句読点・括弧類の前後の空きを詰めるか、字間を割って次行に送り出す。これを禁則処理（調整）といい、欧文では、この処理は基本的に語間のアキで行っている。

　横組も、縦組と基本的な組方は同じである。行揃え（justification）をして、行の長さを統一すること、行頭禁則・行末禁則・分割禁止は同じで、ベタ組が原則である。

　縦組は、全角と二分の世界だが、横組は、文字の幅の違う欧文が混じることが前提で、和文と欧文の組版ルールの両方を考えながら、両者の調整をする。欧文は、文字の幅が1字1字異なる。和文でゴシック体を使って強調する部分に、欧文ではイタリック体を使う。

　横組の組版ルールの相当部分は、欧文の組版ルールに由来する。

　英語圏では通称オックスフォードルール、米語圏では通称シカゴルールに従うとされている。そのままの形で和文組版にとりいれることは難しく、これを取捨しながら考えてゆくことが現実的である。

　オックスフォードルールとは、“R.M.Ritter: The Oxford Guide to Style, Oxford University Press, 2002” 菊判（xii＋623 ページ）の大冊である。この簡略版 “New Hart's Rules. The Handbook of Style for Writers and Editors, Oxford University Press, 2005” 新書判（ix＋417 ページ）もある。

　シカゴルールとは、“The Chicago Manual of Style, 15th ed., The

University of Chicago Press, 2003" 菊判（xvii＋956 ページ）である。

　欧文の語間（word space）は、三分が基準であったが、最近は、四分が基準、行揃えの必要に応じて調節する。大勢は詰める傾向にある。

　そのアキが行頭・行末にきた場合は詰められて、行幅を揃える。調整のため空ける場合でも、あまり空け過ぎないようにする。コンピュータ文字組版のソフトは、語間の上限値と下限値を設定している。この幅を狭くすれば体裁がよくなるが、分綴（ぶんてつ）は多くなる。

　和文とアラビア数字の間は四分アキ、同様に和文と欧文、数字と欧文（単位記号）間は、四分アキである。原則的にこのアキは調整で拡げたり詰めたりはしない。行頭や行末ではアキをとらずに行頭・行末に揃える。句読点の前、括弧類の内側にきたときも空けない。

　入力時に、2 バイト文字と 1 バイト文字を混用することがある。2 バイト（全角）で入力をすると、前後が四分空いて見える。これが行頭・行末に四分アキが残ったり、括弧類の内側にアキが入ったりする原因の一つである。数字・欧文は 1 バイト（半角）文字を使って入力する。

　横組の句読点の組合せには、「、。」「，。」「，．」があり、一般には、後二者「，。」「，．」が使われている。「、。」の組み合わせは、児童書に多い。「，。」は、公用文で使われている。

　括弧類では、かぎとコーテーションマークの選択がある。双方とも会話・引用・強調に使われるので、どちらを使うかきめておく。コーテーションマークは、オックスフォードではシングル、シカゴではダブルとなっている。和欧文の混植ではダブルの方がはっきりするだろう。

　「: ;」は本来、「，．」と同類の約物で、純欧文の文章であれば、前の文字とベタ、後ろは通常の語間を空ける。和文中では、全角取りでもよいだろう。文献などで、和欧文が混じる場合は、欧文と同じ扱いという割切り方もある。

　縦組では、句読点を行末に出すぶら下げ組があるが、横組では欧文混

植が前提だから、ぶら下げ組は行わないほうがよい。欧文の行揃えは語間で調整するから、欧文文末のピリオド、カンマの処理が問題となる。

　全角欧文・全角数字・全角単位記号は、全角のボディの天地左右中央に設計されている欧文・数字・記号で、本来、縦組専用の文字であり体裁も悪いので、横組では使用禁止である。正規の字幅をもった欧文を使用し、ｋｇ、ｃｍなどとしないで、kg、cm として、単位を組み立てる。

　単位記号、元素記号、定数などには立体（ローマン体）、量記号（変数）にはイタリック体を使う。このイタリック体に、誤ってスラント（斜体）を使う例があるから注意する。スラントとは、電子的に立体を傾けることで、$a, f, i, l, n, a, f, i, l, n$ などを見れば判る。前が正規のイタリック体、後がスラントである。

　量体系及び単位系の表現法は、専門分野では、SI にならうことになっており、「JIS Z 8000-1 量及び単位」に規定されている。SI とはフランス語の「Le Système International d'unités」の略で国際単位系と呼ばれている。JIS Z 8000 は、JIS Z 8202-0 及び JIS Z 8203 に置き換わる規格として、2014 年 3 月に制定された。基本単位は、長さ（メートル、m）、質量（キログラム、kg）、時間（秒、s）、電流（アンペア、A）、熱力学温度（ケルビン、K）、物質量（モル、mol）、光度（カンデラ、cd）の 7 つである。

　この基本単位を組合わせ代数的な方法（乗除の数学記号を使って）で表される単位が組立単位、例えば、面積の $m^2$、速さの m/s など、さらに接頭語の、h, k, M, G, T, d, c, m, $\mu$, n, p, f, a などを加える。

　ミクロン（$\mu$）はマイクロメートル（$\mu$m）に、ミリミクロン（m$\mu$）はナノメートル（nm）に変わった。

　単位記号は立体で基本的には小文字だが、人名に由来する単位記号は最初の文字は大文字になる。電流（アンペア、A）、周波数（ヘルツ、Hz）、力・重量（ニュートン、N）、圧力・応力（パスカル、Pa）、電位

・電圧（ボルト、V）、仕事率・動力・電力（ワット、W）などがある。

　組立単位の分数および×、÷の代わりに使う・は二分、／は正しくは三分で、二分は許容されている。全角斜線は、項目間などの区切り符号に使う場合を除いて、絶対使ってはならない。同じく、数学式中の括弧類は二分物で前後ベタ。これが意外に守られていないので注意する。

　省略記号には、前置省略記号と後置省略記号がある。前置省略記号は、通貨の略号（¥、＄、£、€など）で普通全角、前にくる文章・次にくる数字との間はベタ、数字の後ろは四分アキ。前の文章とを空けるという例もある。後置省略記号の内、％、‰（パーミル）は前の数字との間はベタ、後ろはベタまたは四分アキ。時間（時・分・秒）、角度・経緯度（度・分・秒）などに共用される「°′″」は、前の数字とはベタ、後ろは数字が続く場合はベタ、文章が続く場合もベタが多い。


## 6. 校　正

　さて、割付の済んだ原稿を印刷所に渡し、組上がってきたものを校正することになる。印刷所から最初に出てくるものを「初校」という。

　校正は、最初に体裁を調べる。字詰・行数・行間が正しいか、見出しの行取り、ノンブル・柱などをチェックする。訂正の赤字を入れてしまうとわかりにくくなるので、必ず事前にこの作業を済ませておく。

　次に、原稿の指定通りに組んであるか、一字一字を引き合わせる。さらに、素読み（すよみ）といって原稿を離れて、校正刷だけを読んで、おかしなところがないかを調べる。著者の電子データ入稿は、原稿と校正刷りとは原則的に一致するので、原稿整理・指定の赤字チェックは必要だが、素読みによる原稿のミス発見に重点がおかれる。

　校正の赤字は、「JIS Z 8208 印刷校正記号」（75ページ参照）に従って書き込むが、わかりやすく、ていねいに書く。著者に赤字の入った校正刷を送るときなどは、あまり乱雑な赤字が入っていると、著者は読みに

くくなり、また失礼にもあたる。

　本文以外の表・キャプションなどは電子データ入稿であっても、印刷所で新規入力することが多いので、引き合わせ校正が必要である。

　印刷所側も原稿を入力するときにパソコンを利用しているが、著者入力と誤植の出方が違う。著者入力では読みを間違えることはまずなく、読みは正しいが意味が異なる（同音異義、同訓異義）変換ミスが多くなる。また知らない言葉を入力することはない。印刷所側の入力は文字の形が似ている誤植が多くなり、文字が読めないため単漢字入力となり、途方もない誤植が頻発する。印刷物からの入力には、OCR（Optical Character Recognition、光学式文字認識方式）が使われることが多くなっている。OCR は、文字の上を走査して文字をコンピュータが認識できる符号に変える機械である。これはパソコン入力とは違う種類の誤植が多くなるので注意したい。これは引き合わせによる発見が重要である。

　ルビは、読みにくい文字に付ける振り仮名、また、ある言葉に対して別の意味をルビで表現する。付けられる側の文字を親文字という。

　常用漢字には音訓制限があり、公用文・教科書では厳密に守られており、常用漢字外は原則的に使用できない。一般の書籍・雑誌では、常用漢字・音訓制限にこだわらないが、あまり難しい漢字を使ったり、特別な読み方を期待するときは、ルビを付けるのも一つの選択肢である。

　活字組版ではルビを付けるには大変な手間がかかり、校正では親文字の移動に合わせてルビを移動させる際の誤りが結構目についた。コンピュータ文字組版では、一部のソフトを除いて容易である。

　本文の仮名が平仮名であれば平仮名ルビ、片仮名であれば片仮名ルビ。欧文、外来の翻訳語、中国・韓国の人名・地名などの漢字表記には、片仮名ルビ。大きさは、本文の文字（親文字）の大きさの2分の1。親文字の一方の2分の1、片方が3分の1の大きさの3分ルビもある。本文文字が大きかったり、見出しなどは、バランスを考え小さめに、本文文

モノルビ（対字ルビ）

肩付きルビ　地図（ちず）　塗工紙（とこうし）　扉（とびら）　冠（かんむり）　掌（たなごころ）
中付きルビ　地図（ちず）　塗工紙（とこうし）　扉（とびら）　冠（かんむり）　掌（たなごころ）

○九郎判官 源 義経（くろうほうがんみなもとのよしつね）
○の弟と妹は（おとうと　いもうと）
×九郎判官 源 義経（くろうほうがんみなもとのよしつね）
×の弟と妹は（おとうといもうと）

熟語ルビ

肩付きルビ　熟語（じゅくご）　固執（こしゅう）　二重唱（にじゅうしょう）　電子編集（でんしへんしゅう）
中付きルビ　熟語（じゅくご）　固執（こしゅう）　二重唱（にじゅうしょう）　電子編集（でんしへんしゅう）
行中では熟語ルビだが、二行に別れた場合は熟語ルビとなる。（ご）

グループルビ（対語ルビ）

時鳥（ほととぎす）　不如帰（ほととぎす）　寄生木（やどりぎ）　聖餐式（ミサ）　香辛料（スパイス）
副題（サブタイトル）　仮装（カムフラージュ）　酒精（エチルアルコール）　門形起重機（ガントリークレーン）

字が小さい場合は、ルビが読みにくくなるので、行中に同じ大きさで括弧で囲って入れるなどする。拗促音は、読みにくくなることを避け、小書きをしないで同じ大きさとすることが一般的である。

　ルビの付け方には、漢字すべてに付ける総ルビ、一部に付けるパラルビがある。パラルビは難読の漢字に限って付ける場合、初出に限る場合など、各ページにわたって均等に見えるよう適当に付ける場合もある。

　親文字とルビ文字との対応は、漢字一字一字にルビが付くモノルビ（対字ルビ）、言葉全体にかかるグループルビ（対語ルビ・均等ルビ）に分けられる。

　モノルビを付ける位置には、肩付きと中付きがある。肩付きルビは縦

組に限られ、1字のルビを漢字の右上に、中付きルビは、縦組では漢字の右中央に、横組では上中央に付ける。親文字に対してルビ2字の場合は肩付きも中付きも同じ扱いである。3字以上のルビは、肩付きルビは下にはみ出させ、中付きルビは上下（左右）平均にはみ出させる。

　コンピュータ文字組版の自動処理を目的として、モノルビの変種の熟語ルビが考えられた。2字の熟語に3字1字のルビ、またはその逆の1字3字のルビが付くとき、モノルビの扱いにすると、ルビは別の漢字には掛けてはならないため、親文字の字間が空く。ルビ同士を食い込ませて処理すると、親文字の字間が空かないが、行をまたがって親文字が分かれるときは、モノルビの扱いに戻す。3字以上の熟語も同様である。

　グループルビは、親文字列・ルビ列のどちらか長いほうを基準として、それぞれを平均に割り当てる。親文字列・ルビ列は一語として分離（分割）禁止の扱いで、行末・行頭に分かれるときは、一塊として自動的に次行に送り出すので、前行の字間が極端に空くことがある。ルビ文字と親文字の対応を考え、校正者が切るところを指示する必要がある。

　ルビの共通している方針は、前後の仮名にはルビ1字まではかかってよいが、別の漢字にかかってはいけない、句読点や受けの括弧類には、ルビ1字まではかけてよいが、起こしの括弧類にはかけてはいけない。

　行頭・行末では親文字とルビとのバランスで、ルビを行頭・行末に合わせて、親文字を下・上にずらせるか、親文字を正規の行頭・行末に固定して、ルビのほうを下・上に延ばして調整するか、の選択がある。通常は、後者が多く、後ろにまたは前に送っている。

　ルビを付けるには、ルビ付けを誰が担当するかという問題もある。著者に要求できないから、編集者か、印刷会社か、校正者が付ける。パラルビは、どれに付けるかの判断が重要で、指定しなければならない。

　ルビ文字は正しくとも、手書き原稿では親文字誤植の見逃しも出てくる。言葉は、漢字と読みをセットにして覚える。これが難しく、どうし

ても判らなければ、漢和辞典で漢字を探して読みを類推する。国語辞典は読みが判らないと引けない。こう読むだろうと想像して、引いて見て確認する。

漢和辞典は、漢字の形（部首）から引くことができる。どの部首に属するかが判らなければ、総画索引で調べる。

索引なども同様、読みを誤るとその項目は存在しないことになるから、よく確認しなければならない。コンピュータで配列をするには、読みをつけてやらないとできない（欧文は表音文字で、アルファベット順だから簡単）。専門書などでは、専門外の言葉はどうしても読みが判らないことがある。学術用語集のローマ字表記を調べるとか、権威のある書籍の索引配列を参考にして、読みを類推する。

編集者・校正者がよくかかる病気に統一整理病がある。何が何でも一つの方針で整理しようと、思い込みすぎるのも考えものだ。当用漢字の時代では、漢字制限・音訓制限から言葉の書き換えが義務づけられていたが、常用漢字はあくまでも「目安」であり、書き換えまではしない。

誤植に赤字を入れ、もう1度校正を見る必要がある場合は「要再校」○ページ〜○ページ、日付を入れ、あるいはハンを押して印刷所に戻す。印刷所は赤字の箇所を訂正し、再校として出版社に戻してくる。以下、3回目が三校というふうに校正を繰り返し、終了すれば「校了」である。誤植がほんのわずかになって、もう出版社で見なくてもよい、印刷所の責任で直してくれ、という場合は「責了」という言葉を使う。

いよいよ印刷ということになるが、本文にばかり気を使って校正していると、ノンブルや柱の誤植、書体の誤りなどを見逃すということがある。最終段階で、もう1度全部通して確かめてみなければならない。

活版印刷では、校了、責了となるともう校正を見ないが、オフセット印刷ではこのあと、CTPの場合、最終データを普通紙に出力する白焼（しろやき）校正が出る。写真・図版なども正しい位置か、向きは正し

いかなどを確認する。ここで、文字の誤りなどを発見して訂正すると手間が大変であるから、できるだけ前の責了・校了までにすませておく。

## 7. 台割・付物

　校了までに編集者としてやらなければならない重要なことが台割（だいわり）と付物（つきもの）の進行である。

　前述したように、紙は規格寸法でできあがっている。印刷する場合は原則として全紙で行うので、片面16ページとか、32ページを1度に印刷する。A5判の本の場合、A判の全紙から片面16ページ、両面で32ページ印刷され、半分に切って所定の方法で折っていくとページ順になる。

　32ページで折ることもあるが、普通は16ページで折ることが多く、印刷用語では、この例の場合16ページを1単位として「台」と呼んでいる。したがってページ数が半端になると、白いページが残っておかしなものになる。序文から目次、本文、奥付にいたるまで同じ紙で印刷する場合、16で割れる数でないとまずいわけである。例えば320ページの本なら「20台」であるが322ページでは半端が出てしまう。このように16ページ単位にまとめることを「台割」といい、これがきりよくなっていないと無駄ができる。印刷代は1台いくらであるから、高い料金になる場合もある。また、製本の方でも半端がでると料金が高くなり、かつ本の強度にも悪い影響を与えることがある。

　A5判の本をA判全紙で印刷する場合、表16ページ分、裏16ページ分というように印刷するが、最後に16ページで終る場合でも、紙を半分に切って印刷したりしない。8ページ分の同じ版を2つ付けて、印刷枚数を1/2にして調整する。理屈では8ページでも4ページの半端でも印刷できるが、16ページ、32ページで割れる状態で印刷できることが理想である。2ページの半端が出ても困るわけで、何とか前を調節して押

し込むしか方法がない。序文・目次・あとがきなどで調節できるから、総ページを考えて、前の段階で編集者が調整しておく。

　さて、本は本文だけでは仕上がらない。本文と並行して進行しなければならないものに「付物」がある。まず「見返し」。見返しには何も印刷しないものもあるが、化学の本では周期律表とか、辞典ではアルファベットとかを入れることもある。このような見返しを用いる場合は、本文より前に校了にし、印刷にかかれるようにしておく。本文に貼り込むものであるから本文よりも先に刷り上がっていなければ困る。次に「扉」がある。扉に印刷する場合は、正確なレイアウトが必要である。本文の校正ばかりに気をとられ、扉の文字（書名・著者名など）が誤植のまま印刷されるという、うそのような話も時々耳にする。

　口絵を本の冒頭に入れる、本文中に折込みで図表を入れるという場合も、事前に準備しておかなければならない。同時に印刷を進めることによって本ができあがっていくわけだから、遅れないように進行することが編集者としての責任である。ジャケット、外函なども同様である。

## 8. 定価・原価計算

　本の末尾には普通「奥付」がついている。奥付は本の戸籍であり、著者名、出版社名、発行年月日等々の他に、定価も刷り込まれる。印刷が終る前に定価を決定するということが、並行して進められるわけだ。

　この定価決定の方法が大きな問題である。いきおい、原価計算にふれることになるわけだが、この問題を細かくいえば、1冊の本でも足りないので、ここでは簡単にふれる程度としたい。

　常識的に覚えてほしいことは、原価には「直接原価」と「間接原価」があるということである。直接原価に属するものとしては、資材費（紙、板紙、クロスなど）、印刷費（組版、製版、印刷）、製本費などがあり、また、著者関係の印税や原稿料もこれに属する。

間接原価は、出版社の社員の人件費やいろいろの経費、また、宣伝費などの営業経費である。これはその本だけに要した費用かどうか区別しにくい点があるが、全体として数字となって原価に組みこまれてくる。

　本の定価を決める場合は、このほか、流通経費もみなければならない。例えば、定価2,000円とすると、出版社に入る金は1,400円程度で、残り600円は流通経費、すなわち書店と取次会社などのマージンである。その1,400円から直接・間接原価を差引いていくら残るか、これが定価組立の基本になる。消費税がこれに加算される。

　ところで、原価には、部数（冊数）によって変動する「変動費」と部数に関係なしに必ずかかる「固定費」に二分できる。資材費や製本費は原則として変動費であるが、印刷費については、組版・製版代が固定費、印刷代が変動費と考えることができる。著者関係の費用は、例えば印税10％（定価の）の形であれば変動費となる。また、買取原稿といわれる原稿用紙1枚いくら、1冊分まとめていくらで依頼された原稿は、固定費となる。翻訳では原著作者に支払われる費用もあるが、これは通常、定価の何％ときめられている。

　上記2種類のコストと、売上部数および売上高との関係を、定価2,000円（正味価格1,400円）の本を例にとって図示してみよう（次ページの図参照）。この本の場合は4,000部が採算点でそれ以下の場合は赤字になることがわかる。多くの出版物は、固定費が高い割合を占める初版時ではなく、増刷（ましずり、ぞうさつ）となって組版代（固定費）が償却され、利幅が広くなり初めて利益が出るという実情である。

　間違いなく1万部は売れる、しかし、売れるには時間がかかるというような本の場合、初版を3,000部にして直接原価だけ回収するという定価づけがされている例が多いようだ。したがって、初版が売り切れ増刷に入った、そこで売れた売れたと喜ぶのではなく、冷静に原価計算をしてほしい。専門書の多くは、増刷以降を見越して定価づけを行うものが

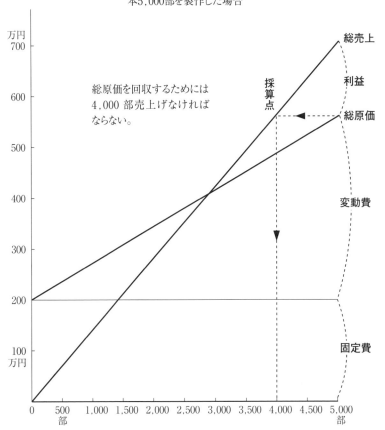

**採算点グラフ（例）** 定価2,000円（正味価格1,400円）の
本5,000部を製作した場合

総原価を回収するためには
4,000部売上げなければ
ならない。

総売上

利益

採算点

総原価

変動費

固定費

万円
700

600

500

400

300

200

100
万円

0　500　1,000　1,500　2,000　2,500　3,000　3,500　4,000　4,500　5,000
部　　　　　　　　　　　　　　　　　　　　　　　　　　　　　　　　　部

多いことを心にとめて置くべきであろう。

　新入社員であるあなたの年収は、どのくらいになるだろう。その年収
が、本をつくる際の間接原価になっているのは確かである。編集者は自
分のつくった本が、年間どれほど売れたかを見てほしいと思う。実態と
しては、営業経費や人件費は粗利の中から支払われているわけだから、
ある社の人件費が仮に総売上げの30％とすると、どの本でも30％部分
は人件費となり、定価にはね返らざるを得ない。

自分の年間所得が 500 万円で、年間売上高が 1,500 万円だというのは、あまりほめられた数字ではない。自分 1 人で本ができたわけでもないし、販売できたわけではない。これはどこかにシワ寄せされていることになる。会社はそれでもちゃんと成り立っているから、どこかに多い所があり、収支のバランスが取れているのである。編集者である以上、自分のつくった本はたくさん売れてもらいたいはずだし、多くの読者に歓迎される良いものをつくることが、結果としてたくさん売れることに結びつくのである。売れた本には、編集者は堂々と胸を張っていい。遠慮した本をつくってもらいたくはない。出版社は本をつくることで食べているわけだから、堂々とつくってほしいのである。

## 9. 印　刷

　校了から印刷にいたるプロセスを「下版（げはん）」という。活版印刷の場合の用語であるが、ほとんどオフセット印刷になった現在でも使われている。

　活字組版では、「紙型」をとる。紙型とは鉛版の鋳造に使用する紙製の雌型であるが、将来その本が増刷されるときに、この紙型から鉛版をおこすわけで、以前から、「紙型は出版社にとって重要な財産である」といわれていた。

　オフセット印刷の場合は、従来コンピュータ文字組版で印字されたものを直接印画紙から、また活字組版されたものは清刷（きよずり）から、カメラによってネガを撮影し、またはポジに反転し、そのフィルムから刷版を作製して印刷機にかけていた。現在は、最終データから直接刷版する CTP によるオフセット印刷が主流である。製版を必要としない、オンデマンド印刷も増えつつある。

　増刷をするには、最終の印刷用データが出版社にとって非常に重要なものであり、その管理、保存については、印刷所とも協力して細心の注

意をはらわなければならない。

　これから印刷に入るわけだが、この場合当然紙が必要である。紙は出版社が買うけれども、品物は印刷所の方に直接入る。つまり、所定の量に予備を若干加えた用紙を、校了以前に印刷所に入れておく手配が必要である。

---

## 用紙の必要枚数 —— 計算方法

$$用紙枚数 = \frac{総ページ数}{全判1枚から取れるページ数} \times 発行部数$$

　例1　Ａ5判240ページの本を2,000部発行する場合

$$枚　数 = \frac{240}{32} \times 2,000 = 15,000（枚）$$

　例2　Ｂ6判352ページの本を5,000部発行する場合

$$枚　数 = \frac{352}{64} \times 5,000 = 27,500（枚）$$

例1の場合はA列全判15,000枚、例2の場合はB列全判27,500枚ということになるが、これに適量の予備紙を加える必要がある。

なお、用紙はふつう「連」（1,000枚）を単位として取引される。

---

　さて印刷であるが、刷り本を折った場合、ページ数がきちんと順序通り置かれているかノンブルの確認をする。また、表と裏の版面がぴったりと合わなければいけない。表裏がズレているのは変なものだし、そればかりでなく、表裏の版面が合っているからこそ、裏うつりしないで鮮明に読めるのである。薄い紙が良いといって、薄すぎて裏うつりしたり、インキが裏ぬけしたりしたら、こんなみっともないことはない。インキが濃すぎたために、裏ぬけしてしまうこともある。

このようなことを防ぐために、編集者は、印刷所が刷り始めた最初の「刷出し」を必ず手にとって見る習慣をつける必要がある。刷出しは、印刷所がこの調子で進行しますよ、というものを持ってくるわけだから、自分が思っているような紙に、思った通りに刷れているかどうかを確認してほしい。しかし、この刷出しは、あくまでも印刷の調子を見るもので、ここで校正をするためのものではない。

## 10. 製　本

製本様式には様々の種類があるが、これについては、前述の「製本の基礎知識」を参照してほしい。

製本は、印刷された1台、1台を折り上げ、丁合（ちょうあい、ページの順番に並べる）をとって1冊分に取り揃えてから、背をきれいに固めて化粧断ちし、本に仕上げていく。1台ごとの折り本の背には、背丁（せちょう）、背標（せひょう）という印がついている。背丁とは本の書名・台の順序数であり、背標とは長方形の印をずらしながら階段状に印刷したものである。背標は1冊分揃えた場合に斜めに並ぶように入っていて、1カ所背標が抜けていれば、すぐ不揃いであることがわかる。これを落丁という。また、入るべき場所に入らず、入れかわったりしていると並びが乱れ、乱丁となる。同じ所に2つあれば取り込みである。背標は、製本段階で大へん重要な役割をはたしている。特にページ数の多い本や、高価な本などには、必ずこの背標を入れるようにする。

事前に、扉・口絵・見返しなどを貼り込み、ミシンのような糸綴機で綴じてから接着剤で背固めする。

雑誌では針金綴じといって、針金で綴じる場合もある。広げた真ん中を綴じる週刊誌などでよく使われている中綴じと、背に近い部分を上から下まで綴じる平綴じにわかれる。後者の平綴じは最近少なくなり、次に述べる無線綴じに代わっている。PL法（Product Liability、製造物責

任法）の関係で事故の予防のためである。

　無線綴じは、糸や針金を使用せず、背の部分を断裁して接着剤で固める方法である。電話帳がこの方式の代表で、特に大量生産のものに向いており、一般にペーパーバックスはこの無線綴じを多く使用している。最近では改良を加えた「あじろ綴じ」も広く採用されてきている。

　ところで、製本の段階で留意しなくてはならないことは、挟込みの目録とか、スリップなど、本に挟込むものの手配である。スリップというのは、2つ折にして本に挿入してある細長い売上カードで、取引上大きな役割をはたしていたものである。小売書店で本を買うとき、店員が引き抜いているのを見たことがあるだろう。

　こういうものが製本段階で揃っていないと、本はできあがったことにならない。

　また、外函、ジャケット、帯紙についても同じことがいえる。こういったものが集約され、はじめて本として完成するわけだから、本の中味が完成したからといって、編集者は知らん顔はしていられない。製本所から無事納品されて、1ページずつ点検し、どこにもミスがなかった、良いできだった、ということで初めて編集者は、著者とともににっこり笑うものなのである。

# Ⅳ　販売、宣伝計画

　販売・宣伝計画は、通常営業の仕事であるが、あえてこの2つの問題にふれておきたい。

　編集者は、範囲外だからといって、販売・宣伝計画に知らん顔していてはならない。編集者がイニシアティブをとって計画を立てるべき場合さえある。大きな企画で、事前に予約を取るような場合、営業部は発行時期をどうするかなどの計画をたてる。そして計画に基づいて編集部に各種の要請が出される。例えば、こういった形の内容見本をつくってほしい、あるいはチラシが必要だ、雑誌や新聞に広告を出すので、広告文をつくってほしいなどの要請が必ず出てくる。かりに営業部でつくったとしても、それを編集の担当者が見ることも必要である。

　つまり、編集者は一般のごく普通の単行本だったとしても、必ず営業・販売の仕事にタッチしてもらいたいし、自分のつくった本を最後までその目で確かめてほしい。

　特に新刊の本が出た場合、取次会社を通して、委託という形で全国の書店に送本される。委託というのは、売れるか売れないかわからない形で行われるわけで、ある時期を過ぎて売れなかったものは、書店から取次会社を経由して戻ってくる。例えば3,000部の商品のうち、2,500部を取次会社が委託で送品したとしても、それは売れたのではなく書店の場所を借りるために2,500部の本が送られただけの話である。何カ月か経ち、それが1,000部しか売れなかったとしたら、1,500部は返品されてくる。1,500部の返品の山を編集者は自分の目で確めに倉庫へ行って見てごらんなさい。張切ってつくった本がこれしか売れなかったと、恨

み、慨嘆し、中には怒りだす人もいる。しかし、その山を見て編集者は良く考えてほしい。売れなかったのは営業が悪い、また書店が悪いのであって、つくった本人には責任がないなどとはまさか考えられないだろう。愛情をもって手をかえ品をかえて返品の山を売らなくてはならない。採算点を突破しなければならない。自分の企画した本であれば、その目的を達成するために、営業の人といっしょになって本を売るくらいの熱意をもってほしいものである。

　そして、売れなかった本、好調に売れてすぐ増刷になった本、それぞれの原因をよくふり返ってみて、次の企画にはね返していくことが編集者のつとめである。それが仕事の完成ということである。企画とフィードバック、この繰り返しによって、一人前の編集者として、一流の出版人として完成していくのである。

　1度した失敗は2度と繰り返さない、成功しても失敗しても、次の本に結びつけていくという姿勢が、本づくりの根本である。それが本に対する愛情であり、愛情をもってつくった本でなければ売ることはできないのではないかと思うわけである。

　編集者が販売に力を入れる必要があるといっても、専門書によく見られるように協会などで一括して買ってくれる場合などを除いて、一般的には読者に直接売るわけにはいかないので、販売担当者とよく相談し、書店でいかに売れるように仕向けるかということになる。

　編集の立場にいると販売を自分なりに十分に考えているようでも、どうしても内容中心的な考え方になる。むしろ編集者ほど今の時代は売ることを第一義に考えなければならない。つくってしまってから販売対策の不十分さを感じても遅いので、販売宣伝担当者と十分に練る必要がある。

　往々にして編集者は自分のたてた企画にほれ込んでしまい周囲の意見を聞かない場合が多い。内容の善し悪しは編集者の方がよく知っている

かも知れないが、よい本だから売れるとは限らない。どんな本がよく売れる環境にあるかは販売の方が肌で感じているはずである。そのためにも企画の段階でひとりよがりに立てるのでなく、販売に相談しておけば販売の協力も得やすい。

　編集者というのは販売宣伝にうといのは当然で新しいことが浮びにくいため、前例をみてそれに当てはめていこうとしがちである。しかし、前に行った売り方が成功したからといって、今度も同じ売り方で成功するとは限らない。前が成功していればいるほど、失敗する確率が高いことを念頭に入れておくべきである。1点1点よく考えてその商品の個性にあった販売・宣伝を行う必要がある。

　万一、売れない本をつくってしまった場合は、他に売れている本を作っているではないかという帳消し的な甘い考え方は起さないでほしい。1冊も失敗はゆるされないといった気持ちで十分に反省しなければならない。

## JIS P 0138 紙加工仕上寸法

単位 mm

| | A 列 | B 列 | 備 考 |
|---|---|---|---|
| 0 | 841 × 1189 | 1030 × 1456 | 倍 判 |
| 1 | 594 × 841 | 728 × 1030 | 全 判 |
| 2 | 420 × 594 | 515 × 728 | |
| 3 | 297 × 420 | 364 × 515 | |
| 4 | 210 × 297 | 257 × 364 | |
| 5 | 148 × 210 | 182 × 257 | |
| 6 | 105 × 148 | 128 × 182 | |
| 7 | 74 × 105 | 91 × 128 | |
| 8 | 52 × 74 | 64 × 91 | |
| 9 | 37 × 52 | 45 × 64 | |
| 10 | 26 × 37 | 32 × 45 | |

## JIS P 0202 紙の原紙寸法

| 名 称 | 寸 法 | 面 積 |
|---|---|---|
| | mm mm | m² |
| A 列 本 判 | 625 × 880 | 0.550 |
| B 列 本 判 | 765 × 1085 | 0.830 |
| 四 六 判 | 788 × 1091 | 0.860 |
| 菊 判 | 636 × 939 | 0.597 |
| ハトロン判 | 900 × 1200 | 1.080 |

### 参 考

| 名 称 | 寸 法 | 面 積 |
|---|---|---|
| 新 聞 用 紙 | 813 × 546 | 0.444 |
| 三 三 判 | 697 × 1000 | 0.697 |

## 出版物の判型（一例）

単位 mm

| 名 称 | 仕上寸法 左右 | 仕上寸法 天地 | 用途例 | 名 称 | 仕上寸法 左右 | 仕上寸法 天地 | 用途例 |
|---|---|---|---|---|---|---|---|
| A 4 判 | 210 | 297 | 美 術 書 | 菊 判 | 152 | 218 | |
| A 5 判 | 148 | 210 | 教 科 書 | 四 六 判 | 127 | 188 | 文 芸 書 |
| A 6 判 | 105 | 148 | 文 庫 | A B 判 | 210 | 257 | 婦 人 雑 誌 |
| B 5 判 | 182 | 257 | 週 刊 誌 | A 40 取 | 84 | 148 | |
| B 6 判 | 128 | 182 | 一 般 書 籍 | B 48 取 | 91 | 171 | |
| B 40 判 | 103 | 182 | 新 書 | | | | |

並製本はこの大きさだが、上製本はチリがつくので一回り大きい。

# 文字の大きさ

## DTPポイント

6 ポ これから出る本

7 ポ これから出る本

8 ポ これから出る本

9 ポ これから出る本

10ポ これから出る本

11ポ これから出る本

12ポ これから出る本

14ポ これから出る本

16ポ これから出る本

18ポ これから出る本

20ポ これから出る本

24ポ これから出る本

30ポ これから出る本

34ポ これから出る本

38ポ これから出る本

42ポ これから出る本

## 文字サイズ換算表

| 級数 0.25mm | 換算寸法 mm | JISポイント 0.3514mm | DTPポイント 0.3528mm |
|---|---|---|---|
| | 9.878 | | 28 |
| 38 | 9.840 | 28 | |
| | 9.500 | | |
| | 8.467 | | 24 |
| 32 | 8.434 | 24 | |
| | 8.000 | | |
| | 7.056 | | 20 |
| 28 | 7.028 | 20 | |
| | 7.000 | | |
| | 6.350 | | 18 |
| 24 | 6.325 | 18 | |
| | 6.000 | | |
| | 5.645 | | 16 |
| 20 | 5.622 | 16 | |
| | 5.000 | | |
| | 4.939 | | 14 |
| 18 | 4.920 | 14 | |
| | 4.500 | | |
| | 4.234 | | 12 |
| 16 | 4.217 | 12 | |
| | 4.000 | | |
| | 3.881 | | 11 |
| 15 | 3.865 | 11 | |
| | 3.750 | | |
| | 3.690 | 10.5 | |
| | 3.528 | | 10 |
| 14 | 3.514 | 10 | |
| 13 | 3.500 | | |
| | 3.250 | | |
| | 3.175 | | 9 |
| 12 | 3.163 | 9 | |
| | 3.000 | | |
| | 2.822 | | 8 |
| 11 | 2.811 | 8 | |
| 10 | 2.750 | | |
| | 2.500 | | |
| | 2.470 | | 7 |
| 9 | 2.460 | 7 | |
| | 2.250 | | |
| | 2.117 | | 6 |
| 8 | 2.108 | 6 | |
| | 2.000 | | |
| | 1.764 | | 5 |
| | 1.757 | 5 | |
| 7 | 1.750 | | |

## 細・中明朝体

写研本蘭明朝L　LHM
ひらがな盛衰記

写研石井中明朝　MMANKL
ひらがな盛衰記

モリサワ　リュウミン　L-KL
ひらがな盛衰記

モリサワ　リュウミン　M-KL
ひらがな盛衰記

リョービ本明朝　L
ひらがな盛衰記

リョービ本明朝　M
ひらがな盛衰記

モトヤ　明朝（M2）
ひらがな盛衰記

モトヤ　中明朝（M4）
ひらがな盛衰記

大日本スクリーン製造　ヒラギノ明朝体　2
ひらがな盛衰記

大日本スクリーン製造　ヒラギノ明朝体　3
ひらがな盛衰記

フォントワークス　マティス　Plus-L
ひらがな盛衰記

フォントワークス　マティス　Plus-M
ひらがな盛衰記

ニィス　JTCウイン　M1　明朝体
ひらがな盛衰記

ニィス　JTCウイン　M3　明朝体
ひらがな盛衰記

## 太・特太明朝体

写研本蘭明朝B　BHM
ひらがな盛衰記

写研石井特太明朝　EMANKL
ひらがな盛衰記

モリサワ　リュウミン　B-KL
ひらがな盛衰記

モリサワ　リュウミン　U-KL
ひらがな盛衰記

リョービ本明朝　EⅡ
ひらがな盛衰記

リョービ ナウ- MU
ひらがな盛衰記

モトヤ　明朝（M6）
ひらがな盛衰記

モトヤ　極太明朝（M10）
ひらがな盛衰記

大日本スクリーン製造　ヒラギノ明朝体　6
ひらがな盛衰記

大日本スクリーン製造　ヒラギノ明朝体　8
ひらがな盛衰記

フォントワークス　マティス　Plus-B
ひらがな盛衰記

フォントワークス　マティス　Plus-UB
ひらがな盛衰記

ニィス　JTCウイン　M7　明朝体
ひらがな盛衰記

ニィス　JTCウイン　M9　明朝体
ひらがな盛衰記

写研中ゴシック　MGAKL
## ひらがな盛衰記

写研ゴナDB　DBNAG
## ひらがな盛衰記

モリサワ　中ゴシックBBB
## ひらがな盛衰記

モリサワ　新ゴR
## ひらがな盛衰記

リョービ　ゴシック－M Ⅱ
## ひらがな盛衰記

リョービ　ゴシック－B
## ひらがな盛衰記

モトヤ　シーダM（C4）中ゴシック
## ひらがな盛衰記

モトヤ　シーダSB（C6）中太ゴシック2
## ひらがな盛衰記

大日本スクリーン製造　ヒラギノ角ゴシック体　3
## ひらがな盛衰記

大日本スクリーン製造　ヒラギノ角ゴシック体　5
## ひらがな盛衰記

フォントワークス　ロダン　Plus－M
## ひらがな盛衰記

フォントワークス　ロダン　Plus－DB
## ひらがな盛衰記

ニィス　JTCウイン　S3 ゴシック体
## ひらがな盛衰記

ニィス　JTCウイン　S4 中ゴシック体
## ひらがな盛衰記

　16ポ

Bembo
abcdefghijkABCDEFG1234567

Caslon
abcdefghijkABCDEFG12345

Garamond
abcdefghijkABCDEFG123456

Baskerville
abcdefghijkABCDEFG12345

Perpetua
abcdefghijkABCDEFG1234567890

Times
abcdefghijkABCDEFG1234567

Optima
abcdefghijkABCDEFG123456

Futura
abcdefghijkABCDEFG123456

Helvetica
abcdefghijkABCDEFG12345

Univers
abcdefghijkABCDEFG1234

Century
abcdefghijkABCDEFG123456

# 出版物の製作過程

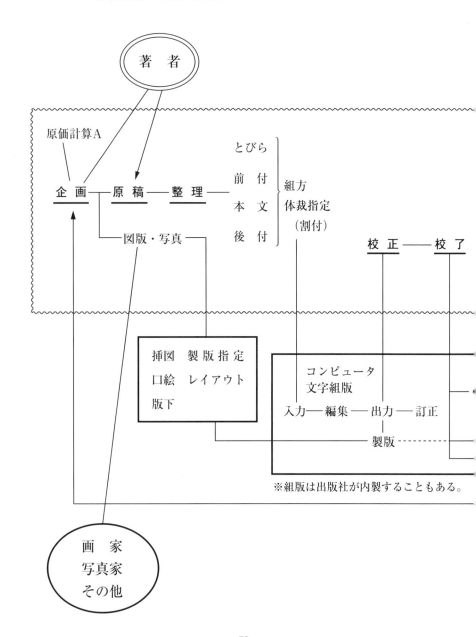

著　者

原価計算A

企　画 ── 原　稿 ── 整　理 ──

とびら
前　付
本　文
後　付

組方
体裁指定
（割付）

図版・写真 ──

校　正 ── 校　了

挿図　製版指定
口絵　レイアウト
版下

コンピュータ
文字組版

入力 ── 編集 ── 出力 ── 訂正

製版--------

※組版は出版社が内製することもある。

画　家
写真家
その他

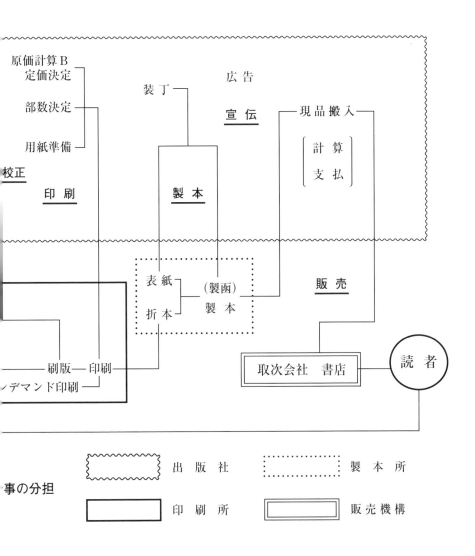

| | | |
|---|---|---|
| 原価計算B | | 広告 |
| 定価決定 | 装丁 | |
| | | 宣伝 |
| 部数決定 | | 現品搬入 |
| 用紙準備 | | 計算 |
| | | 支払 |
| 校正 | | |
| 印刷 | 製本 | |

| 表紙 | (製函) | 販売 |
|---|---|---|
| 折本 | 製本 | |

刷版 — 印刷

デマンド印刷

取次会社　書店 — 読者

事の分担

| | | | |
|---|---|---|---|
| ～～～ | 出版社 | ………… | 製本所 |
| ▭ | 印刷所 | ▭ | 販売機構 |

# 印刷の際の版のかけ方（印刷された状態）

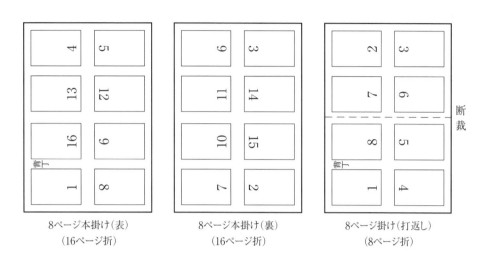

8ページ本掛け（表）
（16ページ折）

8ページ本掛け（裏）
（16ページ折）

8ページ掛け（打返し）
（8ページ折）

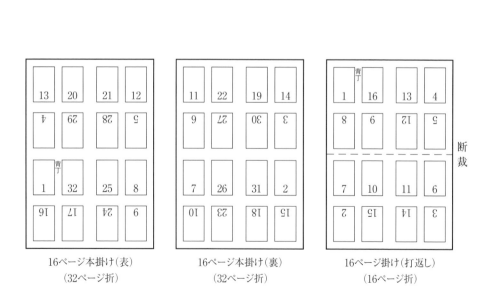

16ページ本掛け（表）
（32ページ折）

16ページ本掛け（裏）
（32ページ折）

16ページ掛け（打返し）
（16ページ折）

# 印刷校正記号

日本工業規格，印刷校正記号（JIS Z 8208：2007）から主なものを抜粋・編集した。

**適用範囲**

　この規格は，印刷物の作成にあたって，校正刷を使用して校正する場合に用いる記号，及び電子原稿の出力見本に組版指定を施す場合に用いる記号について規定する。ここで規定する校正記号は，主に文字・記号の種類・属性・配置位置などの修正の指示及び組版指定について適用する。

　なお，手書きによる原稿等に組版指定を施す場合にも，この記号を準用する。

## 表1―修正の指示及び組版指定に用いる主記号

| 番号 | 記　号 | 記入例（上）及び修正結果（下） | 許容できる使い方 |
|---|---|---|---|
| **1.1　文字・記号の修正** | | | |
| | | 刊<br>週閒誌を<br>週刊誌を<br><br>減少<br>体重が現象する<br>体重が減少する | ※入ル |
| | | ピンセント<br>ピンセット | 小サク |
| | | 目立つと<br>目立つと | 大キク |
| | | 原稿の指定　トル<br>原稿指定<br><br>責任校了と　トル<br>責了と | トルツメ<br><br>トルツメ |
| | | 印刷を一般に　トルアキ<br>印刷　一般に | トルママ<br>トルママ |
| | | 生れる　ま<br>生まれる | ※入ル |

# 表1—修正の指示及び組版指定に用いる主記号（続き）

| 番号 | 記　　号 | 記入例（上）及び修正結果（下） | 許容できる使い方 |
|---|---|---|---|
|  | （記号図） | とじ左<br>左とじ<br>右から左へ<br>左から右へ |  |
|  | イキ<br>修正を取り止め，校正刷又は出力見本の状態のままとする | 原著者序<br>イキ<br>原著者序 |  |
| **1.4　文字書式の変更** |  |  |  |
|  | （記号図）明　ゴチ　ポ | である（次項参照）。（記号図）<br>である（次項参照）。<br>原稿は　明　ゴチ<br>原稿は　原稿は<br>原稿は　原稿は |  |
|  | （記号図） | italic　　sin x<br>*italic*　　sin *x* | 修正箇所を示し，"イタ"又は"*ital*"と指示してもよい。 |
|  | （記号図） | *revised* proof<br>revised proof | 修正箇所を示し，"ロ"，"ローマン"又は"*rom*"と指示してもよい。 |
|  | （記号図） | bold　　*a + b*<br>**bold**　　***a + b*** | 修正箇所を示し，"ボールド"又は"*bold*"と指示してもよい。 |
|  | （記号図） | capital　Capital<br>Capital　CAPITAL | 修正箇所を示し，"大"又は"*cap*"と指示してもよい。 |
|  | （記号図）小　小 | SMALL letter<br>small letter<br>Small Letter<br>small letter | *lc*（記号図） |
|  | （記号図） | $H3PO4$<br>$H_3PO_4$ | 下ツキ（記号図） |

## 表1—修正の指示及び組版指定に用いる主記号（続き）

| 番号 | 記号 | 記入例（上）及び修正結果（下） | 許容できる使い方 |
|---|---|---|---|
| | □□□∨□□□ | $R,R$<br>$PbBr_2$ | 大キク<br>□□□∨□□□ |
| | □□□□□∨□□ | $1\,\text{Å} = 10\backslash-10/\text{m}$<br>$1\,\text{Å} = 10^{-10}\ \text{m}$ | 上ツキ<br>□□□□□∨□□ |
| | □□□∧□□□ | $x^2 + y^2 + z^2$<br>$x_2 + y_2 + z_2$ | 下ツキ<br>□□□∧□□□ |
| | タテ中ヨコ | 二月22日 ／ 11月22日 （タテ中ヨコ） | 結果を示してもよい。 |
| | 合<br>□□□□ | flat-field scanner<br>flat-field scanner | |

### 1.6 字間の調整

| | | | |
|---|---|---|---|
| ベタ<br>□□□□<br>ベタ<br>□□□□<br>ベタニモドス<br>□□□□□□ | ベタ<br>校 正 刷<br>校正刷<br>ベタニモドス<br>塗工印刷用紙<br>塗工印刷用紙 | | ベタ<br>□□□□□□□□<br>詰め組をベタ組にする。 |

### 1.7 改行，改丁・改ページ等及び送りの指示

| | | | |
|---|---|---|---|
| □□□□□ | する必要がある。責了の際は，移動の結果を見る<br><br>する必要がある。<br>　責了の際は，移動の結 | | 改行行頭を天付きとする場合，"下ゲズ"又は"天ツキ"と指示する。 |
| □□□。⌒ | する必要がある。⌒責了の際は，移動の結<br><br>する必要がある。責了の際は，移動の結果を見る | | |

## 表1—修正の指示及び組版指定に用いる主記号（続き）

| 番号 | 記　　号 | 記入例(上)及び修正結果(下) | 許容できる使い方 |
|---|---|---|---|
| | （記号図） | **素読み**<br>原稿から離れて校正刷<br><br>**素読み**<br>原稿から離れて校正刷 | |

### 1.8　その他の修正

| | | |
|---|---|---|
| オモテ<br>ウラ<br>中細<br>　9ポ13倍 | ウラ | 9ポ6倍 |

## 表2—修正の指示及び組版指定に用いる併用記号

| 番号 | 記号及び使い方 |
|---|---|

### 2.1　文字・記号の種類等を示す併用記号

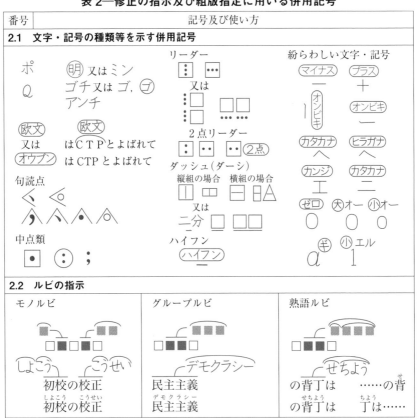

### 2.2　ルビの指示

新入社員のためのテキスト1
『本づくり』〈第5版〉

| | |
|---|---|
| 1984年3月20日 | 初版発行 |
| 1989年11月1日 | 改訂版発行 |
| 2000年2月15日 | 三訂版発行 |
| 2009年3月19日 | 第4版発行 |
| 2020年3月25日 | 第5版第1刷発行 |
| 2024年4月22日 | 第5版第3刷発行 |

編　集　一般社団法人 日本書籍出版協会　研修事業委員会
発行所　一般社団法人 日本書籍出版協会
　　　　〒101-0051　東京都千代田区神田神保町1-32
　　　　出版クラブビル5F
　　　　Tel　03-6273-7061（代表）
　　　　https：//www.jbpa.or.jp

落丁・乱丁本はお取替えいたします。
©Japan Book Publishers Association 1984 1989 2000 2009 2020

定価：　本体700円十税　　　　ISBN 978-4-89003-153-5